★影响世界的人★

梵高

★ 林满秋 著 徐建国 绘

译林出版社

图书在版编目(CIP)数据

梵高 / 林满秋译. —南京: 译林出版社, 2013.10
(影响世界的人)
ISBN 978-7-5447-4266-5

Ⅰ. ①梵… Ⅱ. ①林… Ⅲ.①梵高 Ⅴ. ①梵高, B.(1853～1890)-传记-少儿读物 Ⅳ. ①K835.635.72

中国版本图书馆CIP数据核字(2013)第192832号

本书中文简体字版由联经出版事业公司授权出版，原著作名《影响世界的人：梵高》
著作权合同登记号 图字：10-2013-38号

书　　名　梵高
作　　者　林满秋
责任编辑　马爱新
特约编辑　于伊莎
原文出版　联经出版事业公司
出版发行　凤凰出版传媒股份有限公司
　　　　　译林出版社
出版社地址　南京市湖南路1号A楼，邮编：210009
电子邮箱　yilin@yilin.com
出版社网址　http://www.yilin.com
经　　销　凤凰出版传媒股份有限公司
印　　刷　江苏凤凰盐城印刷有限公司
开　　本　889毫米×635毫米　1/16
印　　张　12.5
插　　页　4
字　　数　104千
版　　次　2013年10月第1版　2013年10月第1次印刷
书　　号　ISBN 978-7-5447-4266-5
定　　价　25.00元
　　　　　译林版图书若有印装错误可向出版社调换
　　　　　(电话：025-83658316)

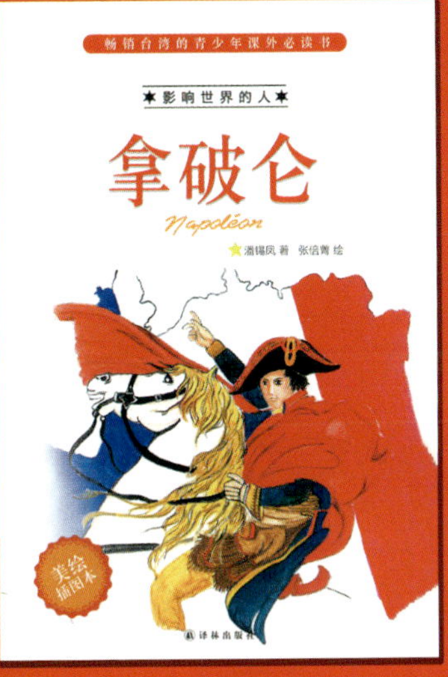

“我的伟大在于《拿破仑法典》，它将永远庇护法兰西人民享有自由。”

《拿破仑》　潘锡凤 著
2013年10月出版
定价：25元

精彩选摘

典礼一开始，拿破仑走在最前面，跪在祭坛前，正当祭坛上的教皇庇护七世在他额头上敷上圣油，准备为他加冕皇冠时，岂料突然出现一个戏剧性的镜头——拿破仑竟然把金色桂叶的皇冠直接拿过来往自己的头上戴，接着又亲自把妻子约瑟芬加冕为皇后，为她戴上后冠，以凸显他的权利是以自己的实力赢得的，并非教会授予，更不受教会的控制。

这个举动虽然让向来遵守传统的教皇心里不是滋味，但是也莫可奈何，事后只能含笑拥抱拿破仑，并向在场的观众恭贺，带领呼喊：“皇帝万岁！”

名家导读

拿破仑一辈子几乎在马背上度过（60余场战役，其中40场胜出），是西方世界继亚历山大和恺撒之后的最伟大将领。他既是旷世军事奇才，也是政治人才，更是柔情似水的恋爱高手。1855年，英国女王维多利亚携王储爱德华前来巴黎谒灵，特别要求王子在“伟大的拿破仑”墓前行跪礼。拿破仑自己也曾说过：“我的一生何止像一部传奇小说！”

——淡江大学法文系教授 吴锡德

“生活越是曲折困苦，越是要用鲜艳的色彩回击它。”

《梵高》 林满秋 著

2013年10月出版

定价：25元

精彩选摘

夏天的阳光像一股金色的波浪，在田野中流动着。

文森特放弃了传统的明暗对照法，大胆地将鲜艳的黄色、绿色、红色挥洒在画布上。此刻他已经不在乎画卖不卖得掉，只在乎如何把这鲜亮的色彩表现出来。

阳光照得他晕头转向，却让他理解到一个事实：他是为了画画而生的。他以前所经历的失败，是为了把他推到画画这条路上的；以前所忍受的痛苦，也是为了画画储存能量。如今这股能量已经爆发出来了，而且相当惊人。

名家导读

梵高用血泪斑驳的生命，交织成画中的色彩，照亮了绘画史上绚烂的一页。三十七岁去世之前，在作画的短短十年中，他画了1700多幅画，生前只卖出去一张。表面上看来，他的人生充满悲惨和挫折，但实际上却是丰富的，甚至比常人更富足。他焕发的才情和坚强的创作毅力，虽然在活着的时候，没得到相等的回馈和公道，但是留给后代的人们无限的感动和追念。

——苏荷儿童美术馆馆长 林千铃

自学成才的伟大生物学家，歌咏昆虫王国的杰出诗人。

《法布尔》 朱秀芳 著

2013年10月出版

定价：25元

精彩选摘

法布尔在大自然之中散步、探险，也发现不少特别的昆虫。法布尔第一次发现神圣粪金龟，就在亚维农郊外隆河对岸的一座山丘上，他对于一粒滚动的小圆球产生好奇心，仔细观察，才知道粪金龟为了要得到更多的食物，会利落地切下牛粪，然后推动粪球。这样用滚动来搬运食物的方式，让法布尔见识到昆虫的智慧。

法布尔又抓回一只金龟，好好地研究它到底是用哪一个器官切下牛粪的。老师在台上上课的时候，法布尔就分心偷偷地观察，他发现粪金龟后肢的内缘是锯齿状的，所以才能这么方便。

名家导读

在网络快餐文化充斥的今天，许多资料来得快速而容易，却也使得我们逐渐习惯填鸭式的知识获取，失去借由思索、推论、实验、创造等方式得到新知的能力。这本法布尔的传记能让读者明白，有生命的思考才是人类知识进步的原动力。

—— 台湾师范大学生命科学系教授 徐堉峰

贝尔成功地发明了电话，引发了人类交流史上爆炸性的革命。

《贝尔》 林淑玟 著
2013年10月出版
定价：25元

精彩选摘

华生以最快的速度冲进贝尔所在的房间，大叫："贝尔，我听到你的声音了，我听到你的声音从送话器里传出来了！"

原来皱着眉头、龇牙咧嘴、抓着裤管的贝尔，立刻眼睛发亮、夺门而出，一边跑，一边回头吩咐华生："换你说给我听听！"

果真，贝尔在受话器的那头，也清楚地听到华生的说话声。

他们俩在房间里交互地跑来跑去，确认每一位传话都是成功的，忍不住相拥大笑，笑得眼泪都流出来了。

名家导读

贝尔是个成功的典范，他很努力，不怕失败，愈挫愈勇，这些是所有成功者共同的特征。此外，他很懂得保护自己的智慧财产权，为自己所有的发明申请专利；他也很懂得如何营销自己的发明，因此为自己带来相当可观的财富。最重要的是，他十分关心弱势群体及听障者，穷其一生，为听障人士争取福利，因此，他的心灵是平安喜乐的，正如他自己所说：电话的发明虽然为自己带来名誉与财富，但为听障教育贡献心力，却带来更多快乐。

——台湾大学电信工程学研究所教授 廖婉君

“我心中的欢乐不是我自己的，我把欢乐注入音乐，为的是让全世界感到欢乐。”

《莫扎特》　林淑玟 著

2013年10月出版

定价：25元

精彩选摘

让大家更吃惊的是，小莫扎特放下小提琴，像玩游戏似的坐上大键琴的琴凳，即兴演奏，随手弹出一段又一段具有专业水平的宣叙调。五个大人正随着音乐摇头晃脑时，小莫扎特站上琴凳，用力敲着琴键，将他所有的感情透过乐声展现出来。那种汹涌澎湃的琴声，撞击着在场每一个大人的心灵，差点儿让他们喘不过气来。

名家导读

这本莫扎特小传属于完整型传记，因为它把主角从出生到死亡的经过都描述得十分详尽，简洁但不松散，可以让小读者对音乐神童莫扎特的一生有完整的认识。

——前台东大学儿童文学研究所所长 张子樟

马可·波罗以一部游记唤醒了沉睡的欧洲人。

《马可·波罗》 艾黎 著

2013年10月出版

定价：25元

精彩选摘

市集里一年四季都可以买到新鲜的水果和香料，马可挑了几个又香又甜的梨子，也选了一些黄色和白色的桃子，等待稍晚前往西湖游览时，可以一边观赏湖景，一边享用美味的水果大餐。

沿路上，马可经过了热闹非凡的方形广场。广场周围高楼林立，一楼店面出售着各种各样的商品，香料、药材、装饰品、珍珠等，应有尽有，甚至还有美酒专卖店，不断供应顾客新鲜好酒。

名家导读

马可就像海绵一般，积极学习及应用各国语言，吸收游历各地的所见所闻，丰富的经历，让他的人生格外精彩，他所完成的不仅仅是东方之旅，更是一场截然不同的人生之旅。

——王品集团董事长 戴胜益

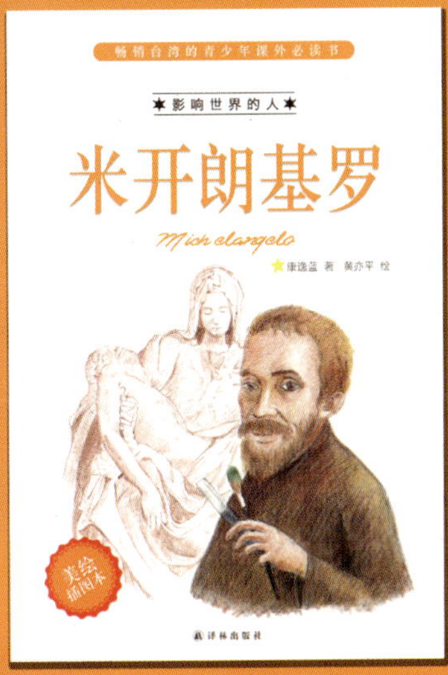

米开朗基罗代表了欧洲文艺复兴时期雕塑艺术的最高峰。

《米开朗基罗》 康逸蓝 著

2013年10月出版

定价：25元

精彩选摘

米开朗基罗问：“阁下，为什么我的大卫像只值四百个金币，达·芬奇的一幅壁画却值一万个金币？”

执政官一时不知道怎么回答，只好说：“你创作的是雕像，他创作的是壁画。”

这种轻视雕像的话让米开朗基罗非常生气，但是他知道要扭转外行人的观念很难，他情急之下脱口说出：“如果你以一万个金币聘我，我可以画出和达·芬奇一样好的壁画。”

执政官眼睛一亮，心里想着：让佛罗伦萨正火红的两个大师同台竞争，可是千载难逢的机会，他马上回答，：“好的，大会议厅的另一面墙壁就由你来画，你可以拿到一万个金币。”

名家导读

米开朗基罗的酒神雕像《巴克斯》表现了“醉”与“美”，《圣殇》则展现了“悲”与“美”；他在人体解剖学上下的工夫，充分运用到《大卫》上，更使他成为不朽的巨人。他常表示石头本身已经具有作品的胚胎，他的工作只是把石头唤醒，也就是把多余的部分去掉。事实上若没有艺术的灵魂，怎么可能看到作品原本该有的形象？

——读书会带领人讲师、台北县家长联合会副理事长 严家琳

“人生来就不是为了被打败的。人能够被毁灭，但是不能够被打败。”

《海明威》　曾淑芳 著

2013年10月出版

定价：25元

精彩选摘

海明威每天一大清早起来，趁着四周安静、脑筋清醒，埋头写作。到了下午，他休息过后，就出门去逛逛。他跟当地人聊天，问问他们钓鱼的事，问问他们家里可好；他跟他们一样讲粗话，跟他们一样举止粗俗。时日一久，大家也习惯有这么一个人站在旁边一起闲聊，只是没人把他当作家，海明威额头上的那一道疤，让大家以为他是来自北方的走私犯，或者是奸诈的商贩。虽然，那一道疤是在巴黎时，浴室顶灯掉下来砸破他的头，缝了九针的结果。

名家导读

他不断开发生活领域，犹如不断开发写作的领域，他在诺贝尔奖获奖感言中提到，“对真正的作家来说，每本书应该是全新的开始，是作家再度尝试的新东西。他应该总是尝试自己从来不曾做过或他人做过却失败的东西”，这正与他喜欢冒险的精神相呼应。

——台湾知名小说家　蔡素芬

21世纪人类要生存，就必须汲取两千年前孔子的智慧。

《孔子》　张玲霞 著

2013年10月出版

定价：25元

精彩选摘

孔子见仲由穿得文不文、武不武的，全没一点礼数，就对他说：“你穿得这么华丽，行为却又粗鲁莽撞，没有礼貌，而且气势凌人，谁敢教你？谁敢指出你的不是？”

仲由听了，默默下去，不一会儿，换上一身武士装束，并且拔出宝剑在孔子的庭院内舞了起来。只见剑光闪烁，身影似蛟龙、如飞鸟，大家看得眼花缭乱，最后他顺势将剑收起，大声对孔子说：“听说孔夫子的令尊是名武将，在逼阳城扛城门的事迹，至今还有人传诵。夫子您身强力壮，想必也学过剑、习过武吧！”

“我听说君子是以忠、仁为根本，遇到不行善的人，就用忠信去教育他；遇到强暴蛮横的人，就用仁义去感化他，根本不必拿剑来自卫。”

名家导读

孔子豁达的人生观，都由生活中的微言微行一览无遗，为女儿、侄女择婿，除了道德的考虑，也使读者见识到他的幽默。与学生的谈话，令人领会到智者确能不拘一格。

——台东大学儿童文学研究所所长　杜明城

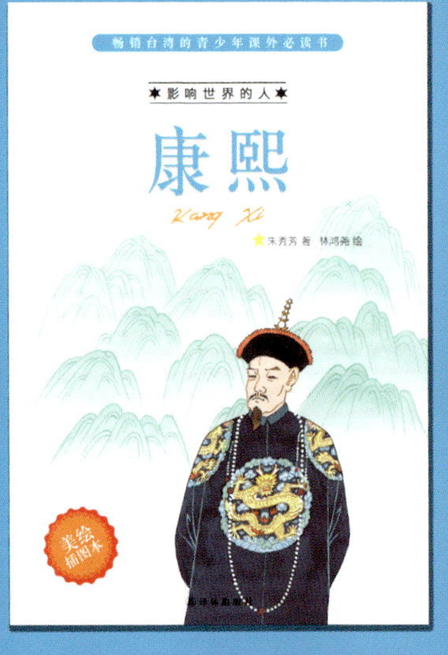

康熙王朝是当时世界上人口众多、幅员最辽阔、经济最富庶的帝国。

《康熙》 朱秀芳 著

2013年10月出版

定价：25元

精彩选摘

康熙皇帝为了让蒙古的各派领袖都能见识到他的英姿，还特地举行阅兵典礼，康熙穿起战袍，骑着战马，出现在众人面前，一时之间，欢声雷动，鸣角齐发，整个漠南地区为之撼动。康熙皇帝自幼就学习骑射，所以他的马上功夫了得。康熙皇帝在这样的场合，特地表演了自己的射箭功力，他真是神准，十发九中，一旁的军士都拍手欢呼叫好。

名家导读

看康熙经历的这些事，不免叫我想起俗语称一个人命好为“皇帝命”，说他像皇帝一般享福。然而，康熙皇帝的命运显然是一直处在动荡与计算中。困难虽多，但不可否认的是，康熙勇于面对，最终克服重重难关。

——中央大学学习与教学研究所 柯华威

“我从来不曾有过幸运，将来也永远不指望幸运，我的最高原则是：不论对任何困难都决不屈服！”

《居里夫人》 林月娥 著

2013年10月出版

定价：25元

精彩选摘

在仓库实验室里，分离出来的物质都排放在桌子上，或是木板上。

一天晚上，皮埃尔和玛丽特地从家里回到实验室。

“你看，它们发出的微光，好像悬浮在黑暗中的幽灵之光。”玛丽发出赞美的声音。

“美极了！”

“太不可思议了！”

“好像是淡淡的小精灵之光呢！”

而事实上，你知道吗？居里夫妇看到这些微光的时候，放射性原子正在释放能量。

名家导读

发现和提炼镭，居里夫人付出了极其艰苦的辛劳。书中对此有详尽的叙述。获诺奖后，她终于摆脱了贫困，但她丝毫不慕金钱，而是更加“专心地做研究”，并把一部分钱捐给三个科学学会。在她心里，事业永远是第一位的。她把生命融入了科学，直到离世。难怪爱因斯坦在悼念她的文章中说，她的科学贡献和人格力量是20世纪里无人能与之相比的。

——江苏省语文特级教师 喻旭初

人类最伟大的戏剧天才。他不属于一个世纪，而属永恒……

《莎士比亚》 李玉屏 著

2013年10月出版

定价：25元

精彩选摘

“伦敦像个大舞台！”威廉不假思索地说。

讲完之后，他才认真去想这句话。舞台上要有演员，伦敦既然是个舞台，那谁是演员呢？

啊！走在伦敦街上的每一个人，都是演员。之后，威廉假想，假想自己是站在爱丁堡的古堡前，或是坐在巴黎凯旋门的路边，甚至假想自己走在古希腊罗马的街道上，看到的也是忙碌的人群，每个人在忙碌中渐渐老了，就像演员化了妆……这个想法，促使莎士比亚更专注研究人的变化。

名家导读

作者以兰姆姐弟（Charles and Mary Lamb）说“莎士比亚故事”的方式，将细密编织而成的十几部莎翁剧作，化繁为简，介绍给我们的读者，包括《亨利六世》、《裘利斯·凯撒》、《亨利四世》、《亨利五世》、《亨利八世》等历史剧，《哈姆莱特》、《麦克白》、《李尔王》、《奥瑟罗》等四大悲剧，以及《仲夏夜之梦》、《罗密欧与朱丽叶》、《威尼斯商人》、《冬天的故事》、《暴风雨》等名剧。

——台北艺术大学戏剧学系 于善禄

导读

苏荷儿童美术馆馆长
林千铃

梵高用曲折困顿的一生、狂野燃烧的热情，谱成了艺术的传奇。梵高的名字，也成了天才综合着悲剧的代名词，似乎天才与悲惨命运、穷困潦倒的人生画上了等号。

了解梵高的生平，我们难免会想，为什么那个时代人的眼光如此短浅，会让天才如此沦落？可怜梵高必须在死后以一幅幅惊人的巨作，向我们诉说他创作时的独特观念和想法。难道需要经过几十、几百年，跨越遥远的时间距离，人们才有足够的能力和眼光，接纳一位伟大的天才？

向来艺术家在人们的印象中都是穷困潦倒，而梵高是其中最典型的代表，甚至最后癫狂自杀了结自己。要是知道这故事，谁还敢热爱艺术甚至想成为画家？这难道是天才艺术家的共同命运或魔咒？

如此一来，不就使得任何一个热爱艺术的人，望艺术路而却步了吗？

梵高的不幸故事吓到了大家，其实，一般人只听闻过他充满冲突性的悲惨人生，却不知道他的牺牲使得整个艺术界大大改观。在20世纪的西方，盛传着一句话："我们谁也不要活在一个漠视梵高的年代"，因为与梵高同时代人眼光的浅薄，实在是他们时代的耻辱！

到了今天，信息发达，经济飞速增长，人们的生活水平大大提升，要求更美、更好、更优雅的生活与事物，那么艺术就成为不可或缺的一部分。甚至到了21世纪，人们喊出了"美学经济"的时代需求，在衣食温饱之后，人们需要的是精神享受，而掌握了美的事物，才是真正的富足和享受。

通过非常完善的艺术经纪制度，现代的艺术家已经无需为画作不为人知而愁苦。立体派的毕加索、波普艺术的安迪•沃霍尔、超现实主义的达利等等，都是活着的时候就名利双收。尤其到了近年，很多有才华的艺术家也可以将作品与商品、日常用品结合，甚至也能扩展到时装、商业、造型等种种设计领域，不仅受到人们的尊重，也能获得很优渥的收入。

一般人太把焦点放在梵高坎坷的生命故事上，从痫癫症到割耳朵、自杀事件，人们耳熟能详的是他疯狂的事迹，却很少深入地了解这位旷世奇才的伟大创作心灵，以及他在画中所呈现的独特艺术语言。

作者以充满诗意的文笔，写出梵高绘画、文字、生命盘缠交错的

一生。本书以兄弟之爱、悲悯的情怀，以及对艺术不可救药的热情这三大主轴，串连出整本传记的核心，点出梵高伟大艺术创作背后的生命动力。

作者在第一、二章中描述了梵高的性格，第三章以后，穿插交织了许多当今名作的背景情节。对于许多让人们惊讶赞叹的天才之作背后的故事及理念，作者都有深刻生动的描述。

本书将画中的景象和故事描述得非常生动，虽然在书中没有原作真迹可以对照，我们却能够随着作者的笔触，在脑海中描绘出梵高的名画，考验着我们的图像思考想象能力。

在这里建议本书读者，可以作如下的延伸阅读：一是梵高的画册，文中提到的许多名画：《向日葵》、《星夜》、《食薯人家》、《麦田群鸦》等，都是举世闻名的大作，尤其是《加谢医生的画像》，1990年在佳士得名画拍卖市场上以8250万美元卖出，将艺术品在拍卖会上的最高成交纪录保持了14年之久。读者一定要对照梵高的原作，才能借由本书的引导，更容易地进入画中的世界。另一是《梵高书信集》，18年中与弟弟提奥通过的七百多封信，巨细靡遗地记录了梵高的创作路程，以及生活情感的转折变化，能帮助我们更深入地探索到他伟大的艺术灵魂。

梵高用血泪斑驳的生命，交织成画中的色彩，照亮了绘画史上绚烂的一页。三十七岁去世之前，在作画的短短十年中，他画了1700多幅画，生前只卖出去一张。表面上看来，他的人生充满悲惨和挫折，但实际上却是丰富的，甚至比常人更富足。他焕发的才情和坚强的创作毅力，虽然在活着的时候，没得到相等的回馈和公道，但是留给后代的人们无限的感动和追念。

目录 CONTENTS

第三章 由炭笔到油彩

第四章 巴黎的蜕变

第五章 迈向成熟

第六章 扭曲的线条

前言

在19世纪的画坛中，和梵高具有同等分量的画家为数不少，梵高之所以引人注目，除了他的作品外，他的奋斗历程、手足之爱和悲天悯人的性格，无不引人感动。

在他十年的画家生涯中，从自我摸索、不知逢迎，一路跌跌撞撞地绘出幽暗、沉闷的农村景色；到下笔自如，成为色彩亮丽、风格独特的印象派画家，这一路走得崎岖坎坷，却又坚毅无比。

十年来，他凭着对绘画的热爱与坚持，找到了人生的出口。尽管生前只卖过一幅画，但他始终未动摇绘画的决心。他曾说："假如我以后会有什么名气，现在也应该同样享有；就像麦子在未结出麦穗前，不能说它只是一株草。"他的这份自信，值得我们学习。

在未拿起画笔前，他曾做过画廊店员、教师、矿区牧师等工作，屡遭挫折。他的人生宛如黑夜般漆黑，他却以常人所没有的气魄与决心，以二十七岁之龄拿起画笔，决心以画家为职志。

在乏人指导的情况下，他认真临摹，以满腔的情感素描农人、工人。一个同期的画家不满他那扭曲的画法，对他说："从学院的角度来看，你的人物画得很不'正确'。"他回答："我不要把人物画得'正确'，真正的画家不是以没有感情的分析方式来作画的。"情感是他追求的要点，因此，维纳斯雕像到了他笔下，竟变成了大屁股、大腰围的荷兰妇女。如果有人说他画得不对，他则会说："我不想画那些比例'正确'却'失真'的作品，我要表达的是人性，人性！"

特立独行的梵高，在人们眼中成了怪物。在他活着的日子里，大部分都是寡然独居。他没有朋友，没有伴侣，除了弟弟提奥外，几乎没有一个人可以让他信赖，可以分享他心中的喜乐悲苦。

每个夜晚，在完成了长达十几个钟头的素描和绘画后，他坐了下来，通过笔墨向提奥倾吐衷心。在他的心里，没有任何概念或事件是琐碎或细微的，他巨细靡遗，一点一滴、一字一句地将心中的感觉传达给提奥。他的书信优美真切，细腻感人，不像他的画那样疯狂率真。那些绵延 18 年的信，一共 700 多封，娓娓道出梵高一生的起落和深厚的手足之情。

提奥不仅在经济上供养梵高，在心灵上滋润他，更在绘画上与他并肩前进。他是第一个看出梵高的才华，也是唯一一个珍惜、包容他的人。难怪梵高会一再说，没有提奥，就不会有他。在生命的最后，他以恳切的心，再一次对提奥重复他说过多次的话："透过我

的笔，实际上你参与了许多不朽作品的绘制过程。”

如此相知相惜的手足之情，展现了梵高的柔情和令人动容的一面。

梵高对艺术的热爱胜于生命。他经常处在挨饿中，收到提奥的汇款后，他并不是拿去买食物，而是去找模特儿。他怕惯坏自己，不敢吃热食，每天以干面包和黑咖啡度日。贫瘠的食物损坏了他的健康，对艺术的偏执和遗传性的神经衰弱将他逼上疯狂之路。他在奥维尔的麦田里举枪自杀，临终前对提奥说：“我仍然热爱艺术和生命。”

梵高死后仅六个月，提奥也随之而去，两人同葬于奥维尔的麦田里。

梵高以线条和色彩冲破生命的困境，虽然已是百年前的事了，但就像他的画一样，至今依然鲜明耀眼。勇者的生命是永远不会褪色的。

第一章 少年文森特

亲爱的提奥:

我希望你来这儿看看我的住所。我租了一间渴求已久的房间，没有倾斜的天花板，没有带着绿色饰边的蓝色壁纸。我跟一个非常快乐的家庭住在一起，他们开设了一家给小男孩念书的学校。

我在这里不像在海牙那么忙。我通常只从早上九时工作到下午六时，星期六四点钟就关门了。上个星期天我跟两个英国人在泰晤士河划船，真是美妙。虽然伦敦离荷兰很远，但在这里工作对我是有好处的，尤其对往后卖画会越来越重要，我在这儿的经验会派得上用场的。最近我们有许多画和素描，卖出不少，但还是不够，我们应该设法拥有更多的好画，但这是相当困难的。

我过得很好，真高兴能观察英伦的生活方式和英格兰人；此外我还有大自然、艺术和诗，若这样还不够的话，什么才足够呢?

文森特于伦敦

1873年6月

红发男孩

1853年3月30日，荷兰的津德尔特镇[1]上诞生了一个满头红发的男孩。男孩的父母已经三十出头了，去年好不容易产下一子，却在几天后夭折，如今看着男孩顺利诞生时，不禁流下泪来。

为了纪念长子，他们决定沿用他的名字，将这个顶着一头火苗般红发的新生儿叫为文森特·威廉·梵高。

文森特的父亲西奥多卢·梵高是小镇上的牧师，母亲安娜来自荷兰的印刷世家。或许是出于对长子的眷念，也或许是因为三十多岁才得子，父母对文森特特别偏爱，使得文森特自幼就孤傲难缠。

一直享受着母亲溺爱的文森特，对妹妹们相当冷淡，但奇怪的是，他却很疼爱弟弟提奥。提奥小文森特四岁，当他开始学走路时，文森特总是陪在一旁，小心翼翼地照顾着他。提奥也很依赖文森特，称呼他为“老孩子”。他们兄弟俩总是形影不离地流连于空旷的原野、石楠丛中和松树林里，金灿灿的麦田、牧师馆后院的菜园、父亲布道的教堂和教堂后的墓地，也常见兄弟俩的身影。

文森特和弟妹都在家自学，由父亲亲自启蒙。到了十一岁那年，文森特才被送到寄宿学校就读。那是一所极为开明的学校，校长菲尔斯很注重艺术教育，不仅斥资购买艺术大师的复制品供学生们欣赏，还从巴黎延聘画家胡斯曼来教素描，文森特在这个时期打下了

1 津德尔特在荷兰北部，属于布班拉特省。

一些素描基础，但不知道什么原因，始终掌握不好透视法。

1869年，十六岁的文森特离开了校门。有关文森特的前途，西奥多卢和安娜有不同的意见。

“文森特应该去念神学院，继承家业当个牧师。”西奥多卢说。

“不，他应该在商场上发展，就像森特大哥一样。”安娜说。

“可是为神服务是梵高家的传统，我们的孩子中总该有人为神奉献。若要说在商场上发展，提奥比文森特灵活，他比较适合，我觉得文森特该去当牧师。”

“我可不希望文森特和你一样，一辈子困在小镇上，他应该出去闯一闯。”

西奥多卢拗不过安娜，决定让文森特跟着伯父——森特在画坛上发展。

梵高家中有几个人从事画廊工作，其中以森特做得最好。他不仅拥有了自己的画廊，还是国际知名的古伯艺术公司的重要股东。森特并没有子女，一直把文森特当成自己的孩子，也期待他能成为自己的接班人，因此当西奥多卢来找他时，他说他早已着手安排了。

“让文森特先去古伯的海牙画廊当实习生，等他熟悉整个画廊的运作后，再派他到伦敦和巴黎工作，干个几年，到时候看他想去哪儿都行，画廊经理的位置早就等着他了。”

那年夏天，文森特从学校返家，和家人一起共度数周后，便前往海牙。

在画廊里，文森特总是利用空闲时间欣赏画作。他对米勒[1]的《拾穗者》非常着迷，每次总会看得浑然忘我。

“三位农妇在金黄色的夕照下觅拾麦穗，虽然卑微，却展现了生命的美感与庄严。”经理特斯特格不知何时出现在文森特背后。

“是啊，米勒不愧是大师，他的《倚锄的人》则表现出另一种生命力。”文森特指着另一幅画，“你瞧，那个锄地的年轻人在燠热的田间倚锄而立，仰头喘息，沉重的劳动似乎耗尽了他所有的精力，眼前却还有大片麦田等着他耕耘。”在米勒的画中，他仿佛看到马匹在耕地时所冒出的热气，也听到农民沉重的喘息声。

“米勒的画确实感人，不过我还是比较喜欢伦勃朗[2]的画，他的《夜巡》就像一首交响乐，光线掌握得恰到好处，人物表情栩栩如生，就像真实的人一样。”

特斯特格是森特伯伯一手提拔起来的年轻人，只比文森特大几岁。他善于与雇主保持良好的关系，对大股东的侄儿相当殷勤，不仅常请文森特到家里做客，还写信给文森特的父母，对文森特赞赏有加。

“伦勃朗确实很棒，不过我还是认为米勒的画更感动人。”

“人各有好，不过，文森特，我们从事画廊生意，不要太偏执于

1 米勒(Jean-François Millet, 1814—1875)，法国画家。以画乡村风景和农民闻名。

2 伦勃朗(Rembrandt Van Rijn, 1606—1669)，荷兰知名画家。

某个画家。我们应该去了解每个画家，特别是咱们荷兰的画家，这样才能说服顾客。”

“你说得对，我应该多去了解其他的画家。”

文森特嘴里虽这么说，心里却早已为米勒留下一个难以取代的位置，每当看着米勒的画时，心中总是怦然不已。

喔，提奥，你真应该多看看米勒的画！

看看他用怎样的笔描绘人生，让我们如此熟悉，又如此神圣庄严。在我们这个时代，这个人在动笔之前总要流泪……他好像农民一样，知道如何计算一磅面包的价钱……米勒唤醒了我们的思想，让我们认识了自然的灵魂……

喔，米勒！米勒！

文森特在海牙期间，提奥也在外地求学。文森特把在画廊里的所见所闻，生活上的感受，透过笔墨一一传达给弟弟。提奥也一样，兄弟俩借由鱼雁往返，纾解思念之情。

四年后，提奥完成了学业，森特决定将他引入海牙画廊，文森特因而被派到伦敦分公司。在伦敦，文森特虽然备受思乡之苦，却过得很愉快，尤其当他爱上了房东女儿爱修拉之后，阴沉的伦敦在他眼中变得亮丽起来。

苦涩的单恋

“今天晚上，我一定要向她表白。”文森特望着窗外的毛毛细雨，又是一个典型的英国天气。

“这样的天气，实在无法让人开心起来。”耳边飘来同事的话语，文森特没有回头，嘴角却浮出一抹微笑。

雨持续下着，却未影响文森特的心情。下班前，文森特又卖掉了十幅印制画。他满脸笑意，心想：“今天真是我的幸运日，晚上的求婚一定会成功的。”

下班时，他一反常态地和每一位同事握手道别，大家都被他反常的举动吓到了。

“他今天怎么了？”

“天晓得！”

“不过他笑起来挺亲切的，他要是能常常如此就好了。”

文森特丢下满脸惊讶的同事，愉悦地走出画廊。街上的行人似乎也都感染了他的喜悦，纷纷以笑脸相迎，连狗儿都对他摇着尾巴。他不禁笑了起来，心想：“难道他们都知道我要结婚了吗？”

一进门，文森特便见到心上人爱修拉。她是房东的女儿，正值双十年华，是个幼儿园教师。她有张瓜子脸，一双水汪汪的大眼睛，笑起来就像蜜桃一样甜美。文森特很喜欢看她笑，总觉得她脸上那两个小酒窝就像小太阳一样，会散发出迷人的光彩。爱修拉和他打

了声招呼，便钻进厨房里帮着妈妈准备晚餐。

文森特压制住急切的心情，回到房间给提奥写信。他告诉提奥求婚之事，也谈到未来的计划。写完信后，他竟做起白日梦，幻想自己当上了画廊经理，每个月有优渥的薪水，和爱修拉过着幸福快乐的日子。

晚饭后，文森特终于等到机会和爱修拉独处。

他笨拙而热烈地说："爱修拉，我全心全意地爱着你，请你嫁给我，我会给你幸福的。"

爱修拉愣住了，"难道你不知道我已经订婚了吗？"

"你订婚了，我怎么不知道？"

"这件事大家都知道啊！"

"不，你不可以跟别人订婚，我爱你，我要跟你结婚……"文森特一把抱住爱修拉。

爱修拉大叫出声，房东太太闻声而出，也被文森特疯狂的样子吓住了。

"梵高先生，请你自重一点。"

文森特松了手，爱修拉一溜烟地跑开了。

求婚的结果完全出乎意料，文森特感到很错愕。

爱修拉既然已经跟别人订了婚，为什么不回避他？不跟他说清楚？还和他如此亲近，难道她只是想在未结婚之前，享受另一个男子的爱慕？

文森特感到头晕脑涨。他无法揣测爱修拉的心意，却很清楚他自己的意念。他绝不气馁，决定要在爱修拉出嫁前说服她，让她投入他的怀抱中。

隔天，久违的骄阳终于露脸了，路上的行人满怀喜悦，文森特却看不见眼前的阳光，一脸阴沉。他无心买卖，客人进门，不是不理不睬，就是态度粗暴。

他的同事在背后窃窃私语："谁得罪了梵高家的传人呀？"

"大概是上班途中被鸽子大便击中了。"

"小声点，说不定有一天他会成为我们的顶头上司呢！"

文森特闷闷不乐地度过一天。

当他回到住处时，爱修拉一看到他就立刻跑进房里。她不再和他共进晚餐，甚至连招呼也不打。梵高食之无味，难以入眠，眼睛失去了光彩，两颊深陷。

他惶然不安地过了几天，终于等到了和爱修拉独处的机会。

他谦恭地道歉着，"爱修拉小姐，那天晚上让你受惊了，真抱歉。"

爱修拉勉强挤出一丝笑容，"过去的事就别提了。"她说完转身走开。

他立刻追上去，"不，我无法不再提，我必须让你知道，我是真心真意的。爱修拉小姐，你一定不知道我有多么爱你，我对你的爱没有任何一个男人比得上，请你跟你的未婚夫解除婚约，跟我结

婚吧!”

“梵高先生,你别再胡闹了。我爱我未婚夫,我不会跟他解除婚约的。”

“他到底有什么好,让你如此着迷呢?”他的嗓门大了起来。

“至少比你好得多了。”她的眼光从他脸上闪过,“他不像你满头红发,大鼻子,高颧骨,走路时老是佝偻着背,活像一个小老头。”爱修拉双眼一溜,轻轻哼了声“红头疯子”,然后快步走进屋里。

文森特万万没想到,自己在爱修拉的眼中竟然是个“红头疯子”。

他变得阴沉消极,对店里的人怒目相待,还得罪了许多客人。

森特从提奥那儿知道文森特失恋的事,决定让他先回荷兰老家度过夏天,然后转往巴黎总店,等年底再回伦敦。他想那时候文森特应该已治愈了失恋的伤痛。

整个假期,文森特都在荒原上漫走,希望野外的风和雨能浇息他对爱修拉的爱恋,然而不管走到哪儿,爱修拉甜美的笑容,轻柔的话语总是伴随着他。

西奥多卢看儿子为情消瘦,不愿意再让他回伦敦去,试探性地问着:“文森特,既然在画廊里干得不开心,为什么不考虑当个牧师呢?”

“你是在劝我离开画廊吗?”

“当然不是,我只是想你要是干得不快活,不如换个职业。”

“不，我不离开画廊，我还要回伦敦。”文森特斩钉截铁地说。

假期结束后，文森特依照森特的安排，前往巴黎总公司。提奥每隔几天便会写信给他，安慰他、鼓励他，文森特硬是压下失恋的痛苦，打起精神来工作。

12月底，文森特回荷兰与父母共度圣诞节，再度返回伦敦。

回到伦敦后，文森特分分秒秒都想去看爱修拉。在尚未向爱修拉表白时，她每天早上总是温柔地坐在他面前，替他送上奶油、烤吐司，陪他一起吃早餐。如果爱修拉不爱他，怎么会对他如此亲密呢？到底是什么原因让爱修拉拒绝了他？

是因为她的未婚夫？她一定是因为不愿意违背婚姻的承诺才拒绝他的。

是的，一定是这样的。强烈的爱欲又从胸中蹿起，渴望见到她的心一天比一天强烈。

2月份的一个晚上，他鼓起勇气来到爱修拉家。

爱修拉非常冷淡，“有事吗？梵高先生。”

“爱修拉……”他看着她，嘴里却说不出话。

“我还有事，对不起。”

“爱修拉，你知道的，我全心全意爱着你。”他的心怦然跳动着。

爱修拉不等他说完便砰然关上门。

文森特还是不死心，又敲着门。应门的是爱修拉的母亲。

“梵高先生，我警告你，你要敢再来打扰我们，我就找警察来。”

文森特不再敲门，在屋外静静等着。他相信总会等到爱修拉出来的时候。

4月中旬，他终于等到了机会。

爱修拉独自从外头回来。他从暗处跑了出来，将她一把抱在怀里，“爱修拉，我要你做我的妻子。没有你，我受不了，除非你嫁给我，不然我永远不会罢休的。”

爱修拉吓得尖声大叫，她的母亲闻声而出，“爱修拉，你怎么了？”

文森特放了手，爱修拉奔向母亲身旁。

“又是你？上回我不是说过了吗？我们不欢迎你。”

“妈，我们进去，别理这个红头疯子。”爱修拉和母亲走进屋里。

“爱修拉，我绝不会把你让给他的，你听着，我一定要娶你。”

文森特跌入深不见底的黑谷中，这一次他再无力往上爬了。

他在店里漫不经心，顾客询问他对画的意见时，他会毫不隐瞒地告诉人家那幅画有多糟，根本不值得买。当他的同事大力吹嘘某幅画有多棒时，他会突然地走上前，对着客人说：“别听他吹牛，他只是想赚你的钱而已。”或者“他在骗你，那些画根本就是垃圾。”

这样的事情不断地发生，经理警告他："我决定向森特先生报告你的行为，我绝不能让你断送我的生意。"

"你说这是生意吗？奥巴克先生。"他噗哧一笑，"要我来说，你做的根本不是生意，而是公然骗钱的行为。"

5月份，梵高被调往巴黎总店，森特决定亲自管教他。

在巴黎，梵高依然没将心思放在工作上，但不再像之前一样惹事。他一头栽入宗教中，企图借由神的安慰来治愈失恋的痛苦。

11月，父亲来信说，他被调升到一个叫艾田的镇上，已搬了过去。艾田的信徒虽然只比津德尔特多了一点，交通位置却比津德尔特重要得多。西奥多卢将它视为二十多年来的一次大升迁，决定在圣诞节时好好庆祝一番，问他可否在年前赶回来。

圣诞节前夕是画廊最忙的时节，文森特在巴黎总店的年资尚未到可以休假的阶段，请假绝不会获准，但亲情的召唤淹没了理性，他没告诉任何人，悄悄回家去了。

他的不假而归，换来了一纸解雇通知。

福音牧师

文森特在家里停留了三个多月，西奥多卢多次劝他去阿姆斯特丹念神学院，文森特却始终皱着眉头，眼中流露出犹豫的神情。

父亲问："有什么事困扰着你，让你拿不定主意呢？"

他的心抽搐着，垂着头默然不语。

“你阳伯伯说了，他在阿姆斯特丹有个空房，你要是去了，可以住在那儿。”

母亲接着说：“你姨丈斯托克牧师也来了信，他可以帮你找老师，还可以亲自指点你读经。”

父母的安排相当周详，他却毫无所动。他的心里总觉得，只要爱修拉还未出嫁，他就有机会。他开始留意伦敦的就业机会，在英国南部兰斯盖特[1]的斯托克学校找到一份教职。

斯托克学校相当阴沉灰暗，文森特尽可能给孩子们一些温暖的阳光。除了课堂上的讲习外，还在生活上照顾他们。他经常给他们讲故事，带他们出去散步。

每到了周末，他总是火速赶往伦敦。爱修拉对他十分冷淡，他并不气馁，默默地倚靠在屋外的树干上，透过窗帘看着爱修拉的一举一动。他就这么看着，直到夜幕低垂，屋里的灯火熄灭，才忍痛走开。

文森特一直很想回到伦敦，在斯托克学校教了两个月的书后，在伦敦的艾尔沃思镇找到一个传教的工作。

艾尔沃思是个贫民窟，简陋的屋子里挤满了一家子人，人们的眼中不时透露着对食物的渴求。文森特在探视教徒时，心中总是澎湃不已，他原以为自己是世上最不幸的人，此刻才恍然大悟，自己所

1 兰斯盖特是英国东南方的一个海港，离伦敦约五十多公里。

受的那点苦跟这些人比起来实在不算什么。他在工作中目睹了狄更斯[1]笔下所描写的贫苦人家，萌生了以传道为毕生志业的念头。

11月初，琼斯牧师让文森特站上布道讲坛。他显得有些紧张，有点结巴，琼斯牧师却相当满意。布道完后，文森特给提奥写了一封热情洋溢的信。

> 提奥，上个星期日，你的哥哥生平第一次在教堂上传道。
>
> 那是一个晴朗的秋天，满是金黄叶子的高大栗子树和明净的蓝天，都倒映在河里。越过树梢便能看到教堂的尖顶。我站在讲坛上，觉得自己就像从黑暗的地下洞穴中爬出来的人，又回到友好善意的天光中。一道幸福快乐的念头从我心中升起，日后无论我走到哪里，我都要传播福音，要传播好福音。一个人必须把福音放在心里，愿上帝赐给我这种能力。
>
> 我在这里重新找到了快乐与希望，然而，小伙子，我是多么渴望圣诞节，渴盼与所有的亲人相聚。在这几个月的时间里，我似乎成长了好几岁。

除了传福音，文森特还负起筹集经费的工作。

有一天，文森特在伦敦市区筹集经费时，心里又想起爱修拉，

---

1 狄更斯(Charles John Dickens, 1812—1870)，英国19世纪著名小说家，以诙谐、细腻的笔调描写当时的下层社会。

他按捺不住心中的渴望，往爱修拉家跑了去。爱修拉恰好不在，她的母亲不再像以前那么冷淡，将文森特请入屋内。

“我看得出你是真心，可惜爱修拉有了归宿。”

“这么说您是赞成我了？太好了，请您帮我说服她吧！只要她肯解除婚约，我就有希望。”

“梵高先生，太迟了，爱修拉已经出嫁了。”

“她……出嫁了？”

他的希望彻底落空了。

年底，文森特返回艾田过圣诞，此后，再也未踏上英国的土地。

第一章 黑乡岔路

亲爱的提奥：

我正在临摹米勒的作品，已经完成的有：《白天工作的时辰》以及《播种者》。你若看了，也许还不会完全满意。我知道你拥有二十多张米勒的复制画，如果你能借我几张，我便可以随时加以临摹。请你相信我，我是以一种很严谨的态度在研究这位大师的。我知道《劳动者》的大幅版画稀罕难觅，但请你帮我留意看看，并告诉我多少钱可以买得到。总有一天我将以一些矿工素描赚些钱，届时我希望拥有那张版画。

目前我以极高的热忱在摹画《田野上的工作》，我共做了十多页速写，我应该多画一些的。但我想先练好《炭画笔帖》，这是特斯特格先生好心借给我的。从清晨到夜晚，我画了几乎整整两个星期，我觉得它正逐日激励着我。

文森特于波瑞纳治

1879年9月

入学考试

文森特原本打算回伦敦当福音牧师[1]，西奥多卢却坚持他去念神学院，再从事传教工作。于是文森特前往阿姆斯特丹，住在叔叔家中，一边在孟德斯先生的教导下，准备神学院的入学考试科目；一边跟着姨丈斯托克牧师读经。

斯托克牧师是赫赫有名的牧师，住在阿姆斯特丹的高级住宅区，那里优美高雅的建筑，与英国的福音牧师馆宛如天壤之别。每当文森特在牧师馆中造访时，总觉得浑身不自在，甚至有种想逃的冲动，唯有在与表姐凯依相处时才得以放松。

凯依比文森特大七岁，具有荷兰女人坚定的神态，长相却较为纤细、文雅。尽管她已经结婚，有一个三岁的儿子，但在文森特眼中依然如少女般青春迷人。每当他看到凯依与丈夫甜蜜的景象，失恋的伤痛便会再度涌现。他原以为那道伤痕已愈合，没想到依然如此痛楚。

他每天日出时便起来读经，读一两个钟头后，再念希腊文和拉丁文，然后是数学。连续七八个小时的研读令他头昏脑涨，唯有在与提奥通信时，才能让他略为放松。

1 一般来说，牧师至少要拥有一个神学士的学位，但有些教派接受没有任何神学训练的人为牧师，梵高在英国从事的福音牧师即属于这种。

喔，提奥，你一定很难想象，我在这儿没有一天是不用读书的。我有一大堆工作要做，却没有成功的把握。我常会问自己，到底我要怎么才能熬过去？晚上我很累，早上无法如愿早起。我的头偶尔沉重，并且时常焦虑如焚，思绪混乱，经过那段情感的纠缠后，要习惯并执着于单纯有规律的研读，并不是一件容易的事。

当我想起过去，当我思及几乎不可能克服的困难和未定的将来时，我，或者该说那邪恶的自我，便会想逃避。当我想起那么多眼睛盯在我身上，就会觉得喘不过气来。如果我不成功，那些目光会不会由关怀变成谴责呢？

西奥多卢前来探望他，谈了很多有关职责及如何达成目标的话，文森特头疼得快爆裂开来。他知道父亲在鼓励他，但那些话他已经听了很多次了，多听一次他的压力就多增一分。当父亲问到进度时，文森特疲惫地说："孟德斯先生说若一切进行顺利，我们便有希望在三个月内完成他所拟定的课业进度。"

"太好了。"西奥多卢充满了兴奋，却又不放心地问道，"一切顺利吗？"文森特木然地点了点头，一股沉重的气息自鼻中喷出。

越接近考试的日子，文森特越怀疑自己能否通过，却又不敢对父亲说出心里的疑虑。父亲走后，他再度集中精神，过着挑灯夜读的生活。

这样的日子过了一年，文森特在家人的期盼中走入考场。

不幸的是，他失败了。

另寻出路

文森特考场失意，父亲西奥多卢备受打击，仿佛失败的人是他似的。

他打听到比利时的布鲁塞尔有所法兰斯福音训练学校，很注重传道的实务经验，鼓励学生在经过一段时间的受训后，就开始传道，然后再回来。西奥多卢心想这对文森特来说或许会容易一些。

法兰斯福音学校是由德容、皮德森和梵登布尔克三位牧师负责的，皮德森牧师有意收留文森特，另外两位牧师却认为文森特的口才不流畅，不适合当个福音牧师。在皮德森牧师的争取下，文森特得到了入学许可。

文森特的去处终于有了着落，西奥多卢心情轻松了许多。那天傍晚父子俩回到艾田后，一起在荒野上散步。

文森特以前和父亲经常一起长途健行，去探望居住在远地的教友，去海牙工作之后，父子俩就鲜少在一起健行。红色的夕阳沉落在松林后，黄昏的天空倒映在池中，石楠树以及黄、白、灰色的沙土，洋溢着和谐的情趣。农夫正在收割麦田，马铃薯逐渐成熟，荞麦开满了美丽的白花。田野如此美丽，文森特心中澎湃不已，仿佛又回到童年与父亲一起散步的时光。

“这回不要再搞砸了。”父亲面向石楠小径，道出心中的期望。

“我知道。”文森特的目光则随着一匹拖着二轮便车的白马移动，“得花不少钱呢！”

“只要对你的前途有益，花些钱也是必要的。”

父子俩的目光在此时交会。父亲眼神中的倦容，让文森特心头一震，顿时了解到，这些日子来父亲是多么担忧他啊！

“爸，我不会再让你失望的。”文森特告诉父亲，也提醒自己。

然而，在前往福音学校之前，文森特没预习宗教课程，反把时间花在素描上。他用墨水笔和铅笔画了几幅素描，在前往布鲁塞尔途中，也以小酒馆为背景画了一幅煤田。

教师波克马先生是一位瘦小的中年人，很注重即席演说，文森特却不擅长此项，上起课来痛苦万分。文森特很用心准备讲稿，句句字字贯注着真理，演说起来却迟钝不顺，波克马先生受不了他结巴的样子，总是当众羞辱他。

有一次，波克马先生又当着全班的面数落他像头笨驴，文森特再也受不了了，回嘴辩驳。波克马先生对文森特更加厌恶，故意加重他的课业，逼得他天天熬通宵。繁重的课业和经常处于紧绷状态中的文森特，食欲锐减，举止也变得焦躁突兀。

皮德森牧师有意化解他和波克马先生的冲突，文森特却不愿低头，执拗地对皮德森牧师说：“我不相信凭着我的努力，我会拿不到结业证书。”

文森特比以往更努力，不幸的是，三个月后他并未如愿地拿到结业证书。

文森特气愤难平，认为一切都是波克马在搞鬼，想去找他理论，但转念一想，又有何用呢？就算揍他一顿也改变不了既定的结果。他不愿意回艾田，一想到愁眉不展的父母，心情便更加沉重。他在布鲁塞尔四处游荡着。

有一天，他无意中听到比利时南部的博里纳日矿区需要福音牧师，眼中露出一丝希望。在伦敦时，他就想申请到矿区传福音，却因为未满二十五岁而被拒绝，如今他已经过了那个年纪，应该不会再有问题吧！

他跑去找皮德森牧师。

"文森特，那里确实需要像你这么热心的人，不过你不能以法兰斯学生的身份去，得另外想法子。"皮德森牧师相当感动。

"有什么法子呢？"文森特浑身发颤。

"如果你可以自付在矿区的费用，教会应该会让你去试试。如果你表现得不错，或许会得到正式的认命，到时候教会就会支付你薪水。"

文森特的心沉了下去，他哪来的钱呢？

皮德森牧师看出他的难处，"我来写信给你的父亲，或许他可以帮你。"

文森特的心怦然跳着，父亲对他一定失望极了，还会资助

他吗?

一个星期后,父亲的信来了。

他同意支持文森特。

文森特捧着信,眼中泛着泪光,“爸爸,这次我不会再让你失望的。”

黑洞里的世界

火车沿着比利时南部直驶而下,进入蒙斯后,景致渐渐由一望无际的平野变成一座座涌起的山岗。那些山岗都独立成形,与其说是山,不如说像金字塔,更特别的是,那些山居然是黑色的。文森特挺直身子,仔细看着。他发现山顶上有一部车,正从车箱里倾倒出黑煤渣。

“原来是这样堆成的,难怪大家会叫它黑煤山!”文森特的目光盯着黑煤山,耳中响起皮德森牧师的话,“要是真有什么人需要安慰,那就是博里纳日的矿工了。”这番话再度让他心头一震。

火车在比法边界的瓦斯美镇停了下来。

11月的阳光从空中洒下,却穿不透那一层层的乌黑浓烟,文森特的目光顺着房子由山谷往上攀爬,污浊的屋瓦点缀着黑色山坡,再往上便是小瓦斯美,也就是文森特此行的终点。他眯着眼看了好一会儿,好荒凉的小镇啊!

文森特沿着弯曲的坡路往上爬，浓稠的黑烟不停地从高耸的烟囱冒出，将矿工们居住的小屋、枯树熏得黑乎乎的。村子里很冷清，除了偶尔看到一两个妇人面无表情地倚立在门口外，并没看见任何人。

文森特走到全村唯一的一幢砖屋，那是面包师丹尼斯夫妇的家。

丹尼斯太太热情地招呼他："梵高先生，我正在等你呢！我收到了皮德森牧师的来信，要我为你准备住处。"丹尼斯太太跟他寒暄几句后，便带他到屋后的小屋。

文森特放下行李，"村里的人都上哪去了？"

"全都在坑里。"

"全部？"

"在这儿，连八岁孩子都得为自己的那口饭而下坑呢！"

傍晚时分，矿工们从坑里涌出。他们一身黑透，除了两颗会转动的眼珠子外，活像一块黑木炭。阳光已经很弱了，但长期待在黑暗中的矿工，仍觉得光线刺眼，眼睛都眯了起来。他们的个头都不高，瘦骨嶙峋，肩膀狭窄而向内弯，一看就知道是长期窝在地洞中形成的。

晚餐过后，文森特即刻去拜访村民。

"先生，我只怕你会白费力气。"有个矿工听文森特说要来改善他们的命运，摇起头来，还剧烈地咳嗽着，一张脸因而涨得

通红。

“先生，你怎么了？”

“肺病，这种病在这里就像地上的石头，随处可见。”

“看医生了吗？”

他又咳了两声，“连上帝都救不了我们，医生有什么用？”

文森特原想辩驳，却被他挥手制止。

“先生，我知道你的好意，打我在这里落脚后，来过很多牧师，他们都想帮助我们，可是没人帮得了我们呀！”

他又咳了起来，胸部随之剧烈地震动着，仿佛随时会爆裂开来似的。

“先生啊！你看看我过的是什么样的生活，比只狗都还不如啊！但我不敢抱怨，怎么说我都还有口饭吃，比起其他人，我算是幸运的了。”

文森特在接连走访了几个矿工家庭之后，发现他说得没错。有些矿工不仅家徒四壁，住的房子甚至没有门；有的一大家子挤在狭小的屋里，靠着一个小火炉取暖。

一个矿工向他诉苦：“我们清晨三点钟就下了坑，必须一直干到下午四点钟。先生啊，那里头又闷又热，到处都是煤灰和毒气，你看看我们，十个有九个都得了肺病，谁知道还能再活几天啊！”

一个瘸了腿的矿工说：“能活着也去了半条命！矿坑里又窄又小，根本没地方站，你看看我这身子骨，歪七扭八的，站都站不直啊！”这个矿工的脚在一次气爆中炸伤了。

另一个矿工紧接着说：“我们天天在挖煤，家里却没有煤可以烧，你说好不好笑？你看看我的孩子们，个个冻得脸色发青，谁晓得明天天亮时，他们的眼睛还能不能再张开？你再看看我们吃些什么，面包、酸烙饼、黑咖啡，我们若没死在坑里，迟早也要饿死的……”

文森特震撼得说不出话来，矿工的生活比他在伦敦见过的穷人还要惨。一股力量鞭策着他必须快点安慰这些苦难的人。

他很快地筹组了第一次布道会，可惜出席的矿工并不多。文森特并不泄气，心想矿工不来，他可以去看他们。他带着《圣经》，每天穿梭在村子里挨家逐户地讲道。遇到病人，除了替他们祈祷，还扮演起医生的角色，给他们药物和食物。

转眼间，他来到矿区已经六个星期了，矿区里的每一户人家都接受过他的接济，对他的称呼也由梵高先生变成了文森特先生。

圣诞节那天，文森特举行了一场大型布道会。由于找不到足以容纳全部矿工的场所，他决定在废弃的马棚布道。耶稣在马棚诞生，他觉得在马棚里布道意义更好。棚子很简陋，阴冷而荒凉，却挤得水泄不通，有人甚至宁愿冒着风雪坐在门外。他们静静坐着，听文森特讲《圣经》的故事。在几盏昏暗的灯光下，文森特将这群苦命的矿工带到上帝面前，以未来的希望温暖着这些贫瘠的心灵。

布道会的成功让文森特信心倍增，他觉得自己正一步步地在改

变矿工的命运。圣诞节过后，一个好消息从布鲁塞尔传来：

福音委员会决定聘他为正式牧师，并支付50法郎的月薪。

文森特兴奋地流着泪，激动地说：“我终于成功了，终于不再让父亲失望。”

1月中，他决定进一步体验矿工的生活，进入马卡斯矿坑里。

马卡斯矿坑是附近最古老也是最危险的矿坑，名声很坏，许多人因为毒气、瓦斯爆炸、地下水溢出或旧坑道倒塌而死在里头。矿井里头阴森森的，每样东西都罩上一种寂凉和荒芜的气息。带他下去的是一位工头，他在那儿已经工作了33年，温和又有耐心，每样东西都解释得很清楚，尽量使文森特明白。

他们一起进入700米深的地带，到达离出口最远的矿道里。由粗木头支撑着的低窄通道就像一排排的密室，每间密室里都有身着污黑粗糙衣服的矿工，借由一盏小灯所散发出的微弱光线，专心切割着煤块。有些密室足以让矿工笔直站着，有些很矮，矿工必须躺在地面上。有的密室里燠热闷塞，阴暗乌黑，就像农家烤面包用的炉子，有的则像监牢里的阴暗通道。

矿工的苦难让他感到愧疚。他想到自己每天躺在舒适的床上，穿着干净的衬衫，吃着热腾腾的食物，却又信誓旦旦地告诉矿区里的人要安贫乐道，要追求心灵粮食，他觉得自己像个骗子。他无法再愚弄他们，也骗不了自己，决心撕开面具，真真实实地为他们服务。

他搬离丹尼斯太太家，在矿区里租了一间破旧的小屋。就像矿工一样，将麻布塞在门缝、窗隙间挡风挡雨。他住着和矿工一样的房子，吃着和矿工一样的食物。此刻他才感觉到自己和他们处于相同的处境中，可以坦然向他们传福音了。

2月的寒风如针一般在空中飘飞，天天都有人死于肺病，也有孩子冻死。文森特每天在黑煤山上爬上爬下，捡了几个钟头碎煤块后，分给最需要的人家。他又从薪水中挪出一半的钱买毛袜、毯子送给需要的人。

到了3月，天气渐渐暖和起来，热病却紧跟着来，村里大半的人病倒了，文森特的薪水几乎都花在药品上。病人渐渐复元了，他却因为营养不良而日渐消瘦。

他开始发起烧来，但他没空休息，依然四处探视矿工。他的双眼变成了两个大窟窿，脸颊也凹陷了下去。他需要休息，需要好好睡一觉，但当得知一个矿工的孩子病了，睡在冰凉的草席上时，他立刻送床过去，自己则睡在麦草上。

4月的阳光赶走了3月的热病，村子又有了生气，文森特举行了开春后的第一场福音传递，村民全都来了。

“你们已经通过了神的考验，最苦的日子过去了。上帝看到了你们坚定朴实的信仰，努力将会得到回报，让我们一起感谢上帝，苦尽甘来了……”

文森特的布道引起热烈的回响，每个人都展露出难得一见的笑容，相互说道：“文森特先生说得对，我们的灾难已经结束了，苦尽

甘来了……”

雪一融化，又露出黑色的原野。枝头的绿芽纷纷冒了出来，鸟儿叽叽喳喳唱着歌儿，文森特在矿工忧郁的眼中看到了希望的光芒。

他发自内心地爱着他们，天天为他们祷告。他祈求上帝引领他们远离灾难，过上一天比一天更好的生活。

他的心中充满了希望，然而一次爆炸事件却粉碎了他所有的希望。

通往上帝之路

1880年4月6日，位于佛拉梅里斯的阿格拉普矿坑发生剧烈爆炸，爆炸冲破地面，升降机井架被摧毁了，周围的建筑也坍塌了。

文森特听到爆炸声后，火速朝矿坑跑去。

奔跑的人潮来自四面八方，哭声、叫声不绝于耳。

“出了什么事？”文森特问。

“坑塌了，我就知道会出事。”工头焦虑地响应着。

“多少人困在里头？”

“全部！”

“能救得出来吗？”

“不知道，我现在要带人下去，能救几个就救几个。”

“我也去！”

“不行，我要熟手。”工头冲向升降机，五六个男人已准备下坑救人。

笼子[1]落下后，原本嘈杂的人群顿时安静了下来，有的低头望着深不可测的黑洞，有的仰首茫然望向天际，有的失魂落魄地坐在一旁。大家都在默默地等着。

时间在沉寂中悄悄地过去，文森特经历了有生以来最痛苦的煎熬。

笼子升上来了，人们齐奔过去。有的放声大哭，有的发出绝望的哀嚎，有的喜极而泣。文森特从人群缝隙中看到许多焦黑的尸体，试图想辨识他们的脸庞，却难如登天。还活着的人也都被烧得面目焦黑，患者家属在短暂的欣喜后，又陷入痛苦中。

“快，快去拿绷带和药膏啊！”文森特焦虑地说着。

人们动也不动，眼中流露着绝望的神色。

“绷带！难道你们想眼睁睁地看着他们死掉吗？”文森特几近吼了起来。

“我们什么也没有啊！”一个妇人抽抽噎噎地哭了起来。

文森特立刻脱下外套、衬衫，再脱下内衣，匆匆将外套穿上，然后将内衣撕成一条一条，替伤员包扎。内衣用完了，再撕衬衫。衬衫布条用完了，再脱下衬裤，一一为患者包扎。

就在大家忙着救人时，邻近的波勒矿坑和夸里格矿坑又相继发

1 有些矿区以铁笼作为入坑的工具，下面几层载运煤箱，上面几层载运矿工。

生爆炸。几百名矿工死在坑里，生者断臂少腿，血肉模糊，家属们呼喊哭嚎。一时间，矿场成了坟场，四处是母亲的哭声、妻子的呼叫声和孩子的哀嚎声，就好像世界末日已经降临了。

两个星期后，救援工作停止了。

“底层的隧道太窄了，没办法救了。”工头说。

“不能挖吗？”文森特急切地问。

“那得好几天的工夫，就算挖通了，那些人也早死了。”

“还有多少人在下面？”

“四五十个吧！”

看到满地的尸体和一群焦虑绝望的妇人，文森特的脸因痛苦和愤怒而扭曲着。他仰头发出悲愤的呼叫：“啊！上帝啊，你怎么可以这样？你怎么可以这样？”

救援队不肯再下坑，矿工们也罢工了。

不上工意味着没有收入，整个矿区都陷入困顿中。

文森特一边替矿工跟资方周旋，一边拿着刚收到的薪水买了一大堆食物，分送到各个矿工家。这一点点的食物只够维持几天，村民很快又陷入饥饿中。

自从出事以后，文森特每天从早忙到晚。饥饿和劳累消耗了他的体力，他虚弱得随时都可能倒下，但他硬是撑着替罹难者举行葬礼。

葬礼那天，所有的村民挤在文森特的屋子里。文森特再也站不

稳，半坐半躺着，披着一块麻布，以干涩的声音讲道。一道道发自空洞眼眶中的目光齐盯着他，好像在凝视着神似的。那些虔敬的目光让文森特的心揪结成球。他暗自叹了口气，上帝要是还眷顾他们，就不会发生这么惨绝人寰的事了。

文森特把每一分钱都用在村民身上。他没穿衬衣，也没穿鞋子，活得像个野人似的。

丹尼斯太太看不下去，“你为什么要这么做？”

他回答说：“我和基督一样是穷人的朋友。”

丹尼斯太太很担心他，便写信给他的父亲。

西奥多卢原本就想来看他，得到讯息后立即赶来。

当他看到文森特瘦骨嶙峋、半躺在草席上，在几名饥饿的矿工包围下，以微弱的声音在传福音，惊讶地说不出话来。

“爸爸……”文森特没料到父亲会突然出现，惊讶的程度并不亚于他。

“文森特，你……你这是在干什么？”

“我正在为他们传福音呀。”

“你说这是传福音？在我来看，简直像非洲野人的聚会。”西奥多卢心痛地说，“文森特，你怎么会把自己搞成这样？”

“我不觉得我做错了什么。”文森特话未说完，矿工们已纷纷起身离去。

“文森特，我看你是疯了，你这样子像个牧师吗？”

西奥多卢硬将文森特带回丹尼斯太太家里，经过一番彻底的清洗、换上干净的衣服后，文森特看起来总算有个人样了。

“我觉得我做得很对。我了解这里的人，他们也接受我。爸爸，不要替我担心，我已经可以自立了，我正走在通往上帝的途中。”

西奥多卢难掩心中的失望，一直摇着头，“你这么做帮不了人，却会害了自己。”

“怎么会呢？这里的人需要我，我也可以帮助他们。爸，在这里生活虽然苦，我却觉得很踏实。你没有理由为我担心啊！”

“我当然担心。你应该知道，教会的考察牧师就快来了，你这个样子怎么过得了关呢？”西奥多卢劝不了文森特，黯然离去。

教会派来的考察牧师果然在不久后来了，他们匆匆察看后，给教会写了一份报告：

> 文森特·梵高在试用期间并没有达到教会预期的效果。
>
> 梵高先生自我牺牲的精神固然值得称赞，却缺乏传播福音的能力。很显然，梵高先生缺乏某些传道者的素质，无法完成一个福音牧师的主要任务。因此，为期数月的试用期结束了，教会有必要再聘用其他牧师前来此地为神服务。

这封考察书堵死了文森特通往上帝的路，却也提醒了文森特一件他早已明白却不肯承认的事：上帝早已背弃他了。

一封决裂的信

文森特没有告诉矿工们，教会已经停止了他的任命，矿工们也没再来询问他布道的事。矿工们似乎不再相信信仰可以改变他们的生活。可是他们并不厌恶文森特，见了面还是会互道一声日安。

文森特在矿区里过着自我放逐的生活，每天除了吃饭、睡觉，就是发呆。

父亲汇来一笔钱要他回艾田，他不肯。他不愿意再接受父亲的安排，像个游魂似的徘徊于矿区野地。他不知道要去哪里，走累了就坐下来，坐够了又继续走着。

10月中，提奥突然来了。文森特枯竭的心再度燃起一丝希望，在这个世界上除了提奥之外，再也没有人会了解他，会支持他。他紧紧抱着提奥，眼中顿时一片模糊。

“喔，提奥，你要来怎么也不先告诉我呢？”

“我原本也没把握来得了。我到布鲁塞尔出差，事情进行得比我预期的顺利，于是我就来了。你还好吗？老孩子。”

文森特再一次将提奥紧抱在怀里。他有太多太多的话想跟提奥说，却不知从何开始。

“文森特，回家去吧！”

“回家？做什么呢？”

“我们一起商量，看看你能做什么。”

“我还能做什么呢？”文森特苦笑着，“不管我做什么都注定会失败。”

“胡说，你只是还没走上对的路而已。”

“什么又是对的路呢？”

“你可以去当木工学徒，或烤面包师，总之，不管做什么都比待在这里浪费时间好得多。”

文森特看着提奥，不敢相信这些话竟出自于他最亲爱的弟弟口中。

“五年了，你已经游荡了五年的时间了，你还要等到什么时候？打从你在伦敦失恋后，你就变了。你变得消沉、堕落，什么事也没干。文森特，你不能再这样下去了。”

文森特的眼中射出哀痛的目光，“提奥，你终于说出心里的话了，在你心里我一无是处，是吗？”

“不是的，文森特，我只是一时心急才会说出那样的话，对不起，我……”

文森特挥了挥手，“够了，我不想再听！”

“文森特，不管你听不听，我都要说。在我来之前我便已经打定主意，这回非带你回去不可。”

“那你可要失望了。”

“文森特，你何必那么固执呢？你宁可在这里过着靠人施舍的生活，也不愿意回家去，我真搞不懂你在想些什么！”

“你和爸是一样的，根本不想懂，只怕我会丢了你们的面子。”

“文森特，你这么说太过分了。”

“难道不是吗？”文森特哼了一声，“你走吧，我是不会离开这里的。”

“文森特，你听好，今天你要是不跟我走，往后我再也不会管你的事了。”

“那就不劳费心了！”

提奥走后，文森特感到一阵痛楚。

提奥的话如跑马灯似的，一直在他心中绕个不停。他越是想冷静下来，心中的火气就越高涨。文森特不怪别人看不起他、责怪他，因为他们不了解他；但提奥了解他，他却跟别人一样误解他。他在心里呐喊着，提奥，你怎么可以这样，你怎么可以这样！

文森特越想越生气，提起笔来，给提奥写了一封信：

亲爱的提奥：

当我感激你大老远跑来看我时，自然也会再度想起我们的谈话。如何改善和改变我的生活，以及如何规划未来之类的话，我以前常常听爸妈提起，现在我却有点怕了。因为当我照着去做时，到头来却可怜兮兮。我们以前讨论过多少事情，结果呢，根本是不实际的。

在阿姆斯特丹的时光，多么鲜明地烙印在我脑海中。在那儿，人人充满了关爱，为了改善我的生活，大家费尽心思。我也尽量过着符合众人期待的生活，但在内心深处我是多么痛苦啊！我现在可以坦白地告诉你，那是我有生以来最难挨的一段岁月。

你说我游荡了五年，什么事也没干，你当真是这么想的吗？我偶尔自己赚取口粮，偶尔靠朋友、家人施舍，这是事实。我尽我的本能在生活，我失去许多人的信任，我的经济情况很差，将来更是一片灰暗，这是事实。我把时间浪费了，这也是事实。但我尽我的本能在充实生命，寻找人生的出路，你怎么可以说我是消沉懈怠呢？

在这贫困的乡下，我受到了极大的痛苦和挫折，现在我学会用新的眼光去看事情，也决定用自己的方式生活，不愿再听从任何人的安排。如果一个病人不愿意听信庸医的治疗，我们能怪他吗？在我来看，你的忠告就像庸医的治疗。如果你以为我会听从你的忠告，成为一个刻印章和名片的人、一个账房先生、一个木工学徒、一个烤面包师，或是其他什么东西，你错了。当然，你会说："我是为了你好，我怕你会执迷不悟，在无所事事中浪费时间。"我想请问你，成为烤面包师就是"有"所事事吗？

如果你觉得我成了你或家人的麻烦，妨碍了你们，尽可不要理我。如果我必须努力地让自己跟你保持距离，我会痛苦得难以承受。如果我还能为你做什么，对你有什么帮助，请记住我愿意随时效劳。我们相隔甚远，对某些事情也有不同的看法，尽管如此，

我还是相信，我们彼此帮助的时日会再来临。

文森特于博里纳日

1880年11月

提奥并没有回信，文森特知道自己失去了全世界最宝贵的东西，但他无法不说出心里的感觉。

父亲倒是来了好几封信，质问他何时开始找工作。他感到很厌烦，看也不看便随手一扔。

冬天悄悄来了，文森特依然在荒野中游走。

他又收到父亲的信，信上扬言再也不会寄钱给他了。文森特又陷入了困顿中，靠着一点干面包度日。

矿工素描

初冬的某一天，他漫步到矿坑，一个老矿工从他面前走过。

老矿工佝偻着身子，两手插在口袋里，蹒跚地走着。

他被老矿工的神态吸引住了，匆匆从口袋里掏出一封家书和一截铅笔，在信的背面画下老人身影。不一会儿，又一个年轻矿工经过，文森特翻过信纸，利用空白处画了起来。

他的手迅速地移动着，他的心也跟着快速跳动起来。他感觉到有一种东西在内心深处复活了。

回家后，他找出几张白纸和一支粗铅笔，重新画起那两个矿工。他擦了又画，画了又擦，不知不觉地画了好几个小时。

他将画贴在墙上，边看边笑："完全不对，明天我得加把劲。"

隔天清晨，他在兴奋中醒来，在矿工下坑前，一口气画了五个矿工的身体。回去后再就着朦胧的晨光重新画了起来。

他的透视完全错误，比例也不对，可是画上的人物就像矿工，不像农人，也不像其他的工人。他知道自己需要从基础做起，需要临摹别人的画稿，连忙找出了被遗忘在箱子里的两张画帖。他细心临摹着，画累了，便去画矿工。

他再度走进矿工的家里，矿工们依然欢迎他。他画孩子们在地上嬉戏，画妇人在炉前工作，画刚下工的矿工跷起腿来享受生命中最舒适的一刻。他不停地画着，每当刚完成一幅画时，总觉得自己画得很棒，突破了很多困境，隔天醒来却发现那些画可笑之至。他将那些画丢掉，重新再画。

母亲来了几封信，他置之不理。

他知道此刻若告诉他们自己正在做什么，他们一定会说："文森特想当画家？他疯了呀！都已经二十七岁了，还学什么画啊！太迟了，太迟了！"他们也一定会说："他到底在想什么？他什么时候才肯把心定下来，做点有意义的事呢？"

天气渐渐热了起来，文森特依然不停地画着，他急需一些临摹的画帖。他不知道提奥是否还在生他的气，是否还会理他。但他管

不了那么多，为了画画，他放下自尊给提奥写了信。

提奥并没让他失望，米勒的复制画很快寄来了，信封里还有一些其他画帖，却没有只言片语。提奥真的不理他了，他真的失去了这个弟弟，失去了人生中最好的知己。一阵刺痛从文森特心中浮起，却很快地被急于临摹的念头打退。

他如痴如狂地画着。

几个星期后，他知道自己的画还很笨拙，但当局者迷，看不出自己的缺点在哪里。他需要找个画家看看自己的作品，给自己一点意见，但该找谁呢？

对了，可以找皮德森牧师！他想起曾在皮德森家中看到他的画。皮德森向来对他不错，他相信此刻若去找他，他一定不会拒绝。

他挑出几幅矿工的人体素描，一幅在炉子前工作的妇人，和一幅弯着身子拾碎煤的老妇，匆匆忙忙走出家门。他没有钱坐火车，决定走80公里去布鲁塞尔。

他连续走了三天。当他敲着皮德森的门时，他的鞋子开了口，脚上长了许多水泡，又饥、又渴、又累，像个要饭的流浪汉似的。

皮德森牧师看到他时，整个人呆住了。眼前这个男子蓬头垢面，衣衫褴褛，神情憔悴，身形瘦削，两颊凹陷，眼中却射出一股让人震慑的目光。

“文森特，是你吗？”皮德森简直不敢相信自己的眼睛，“才一年不见，你怎么变成这样？”

“皮德森牧师，这一年发生太多事了，我没时间解释，我今天来是想请你看看我的画。”

文森特急忙拿出画稿，皮德森牧师却说：“有什么事等会儿再说，你先进来梳洗一下，休息休息，等你精神恢复后再谈。”

文森特没想到走80公里会这么累，一躺下去立刻呼呼大睡起来。

他一觉睡到隔天中午才醒来，狼吞虎咽地吃了些东西后，便向皮德森牧师说明来意。

“我最近画了一些东西，想请你指点一下。”他边说边打开小纸包。

“我恐怕还不够格……”皮德森知道点评初学者的画是件吃力不讨好的事，原本想拒绝，却被那几张矿工的速写吸引住了。

文森特紧张地站在一旁，连气都不敢呼，“怎么样？”

皮德森双眼一直盯着画面，“你画的时候是不是很靠近那些人？”

“对，我就坐在他们旁边画的。”

“难怪你缺乏透视。如果你能站远一点画，一定会画得更精确。”

“也许我应该找间画室。”

“你是应该这么做。”皮德森牧师的目光依然在矿工身上移动着，“你画他们的时候没有用方格子做底稿吗？”

文森特红着脸，“我拿起笔来就画。”

皮德森拿起一把尺，“那可不行。”他在那张站在炉子前的妇人的画上打上格子，“你看，身体的比例都不对。”他一面解释，一面修改妇人的身体。

文森特歪着头仔细看着。

“瞧，现在的比例就对了。”皮德森露出得意的表情。

“可是她再也不是矿工的妻子了。”文森特焦虑了起来，“她只是一个普通的女人。”

皮德森退后一步，看着画，“你说得对。”

文森特眼中射出喜悦的光芒。心中怦怦跳着。

过了好一会儿，皮德森才又说：“文森特，你这幅画糟透了，明暗度不对，比例也不对，看不清女人的脸，可是她有一种力量。我实在说不出来到底是什么东西，但她确实有一股吸引人的力量。”

“我也不知道，我只是照着她的样子画下来。”

“文森特，真对不起，我弄坏了你的画，你不在意吧？”

“怎么会呢？我那儿还有一叠呢！”

“我说不出来为什么，总觉得画里的这个女人有一种力量吸引着我，好像在哪儿见过她似的。”

“你去过矿区，或许你见过她。”

“她的脸模糊不清，我不可能见过她，可是我见过很多矿区的女人……啊，对了，她是她们的综合体。文森特，我想我知道她为什

么吸引人了。”

“为什么？”文森特看着他。

“你抓到了矿工的神韵，这一点比所有的绘画技巧都来得重要。”

文森特的心怦然作响。

“文森特，你是个天生的画家，千万不要半途而废啊！”

“皮德森牧师，谢谢你，谢谢你。”文森特激动得想去亲吻他。

临走前皮德森送给文森特一双旧鞋和回矿区的火车票。文森特怀着喜悦踏上了归途，往日的挫败感已一扫而空。

回到矿区，他立刻去找画室。

他宁可饿肚子也要找一间最好的。他找到了一间有地板和两扇窗户的房子，还有床、桌椅和炉子。矿区里的妇人和小孩都主动来让他画，星期天连矿工也挤到他的屋子里来。大家对于他的画充满了惊奇，文森特也从艺术创作中享受到前所未有的狂喜。

他从早画到晚，没钱吃饭时就到丹尼斯太太家要几块面包充饥，过去他会因为无法自立而自卑，此刻却不在乎，只要能够一直画下去，就算天天饿肚子，他也不怨尤。

提奥，是你吗？

转眼间几个月过去了，文森特知道自己正在进步中，可是还不够好，他需要的不只是一位评论者，而是一位老师。只要有人肯教他，他愿意替他洗衣、擦鞋，但有谁肯教他呢？

他想起了画家朱尔斯·布列东[1]。

布列东住在170公里外的库里叶，他决心去向他求教。

文森特用仅有的钱买了一段路程的火车票，接下来的路靠步行。他一连走了五天，沿途用行囊里的几张素描换取些食物，晚上则在露天下过夜。

当他到了库里叶时，心里又兴奋又紧张。他一直问着自己，布列东肯不肯收他当学生？街道上的行人看见他走来，都急忙避开。他知道自己一定又脏又狼狈。但他顾不了那么多，垂着头，拖着疲惫的步伐，忍着脚痛匆匆赶路。

终于，他到了布列东大宅外。

当他看到布列东精致优美的红砖画室时，心里迟疑了起来。布列东并不认识他，说不定会把他当成一个乞讨者、一个流浪汉。他傻傻地望着布列东的画室，那是一幢豪华的屋子，外表透露着一种庄严、冷漠的气氛，让人感到相当不安。他在那儿站了一天，始终鼓不起勇气来。当夜幕低垂时，他沮丧地掉头而去。

---

1 朱尔斯·布列东(Jules Breton, 1827—1906)，法国画家。

他又饿又累，在库里叶四处寻找布列东的作品，终于找到了一幅，挂在一所老教堂的阴暗角落里。布列东的作品没有他预期的精彩，他感到有些失望。

但他还是觉得不虚此行。至少他看到了库里叶的景色，干草堆、茶褐色的土壤，还有做肥料用的泥灰。他还看见了黑夜在微光中转为白昼，看到此地的男男女女，那些人的脸庞与神态和矿工是多么的不同啊！

皮德森牧师送给他的鞋子已经开了口，他用绳子将鞋子绑了起来，开始170公里的回程。

回到家后，他感到劳累虚弱，陷入了一种前所未有的忧郁情绪中。

他躺在床上，任由孤寂与自怜淹没他。他告诉自己，不管发生了什么事，都要再度站起来，可是他一点儿力气也没有。他浑身发烫，病恹恹地昏睡了好几天。要不是几个矿工的妻子在他口里灌进一些热汤和面包，说不定他早就一命呜呼了。

有一天，他昏昏沉沉地睡着，感觉到有人走了进来。他原以为是某个矿工的妻子为他送来食物，勉强睁大眼睛，一看竟是提奥！他充满了惊喜，却又觉得不可能。提奥在巴黎，不可能会来的。他想他一定是在做梦。

那个人把炉火烧得热滚滚的，还喂他喝汤，一股暖流在他心中翻腾着。

他张开眼，仔细地看着那个人。

“提奥，是你吗？”他使尽全身的力气问道。

“是我，老孩子，你醒了吗？”

他揉了揉眼睛，又一次仔细地看着，“提奥，真的是你！”

“原谅我这么久没写信给你，都是我的错。”

“不，是我的信写得太绝了。”

“先别说这些，你需要休息。”

“我不需要休息，我有好多话想跟你说。提奥，我找到了人生的目标，我想要画画，你不要笑我，也不要认为我不切实际，真的，我真的想以画画为生。我知道二十七岁才开始，太迟了，但提奥，我是认真的。我已经画了不少，我拿给你看。”

“老孩子，千万不要气馁。你虽然起步晚，但是我相信你会成功的。”

“你真的这么觉得？”

“是的，我相信只要你一直画下去，一定会成功的。”

“可是，我到现在还无法自立……”

“文森特，我直说吧，这两年来，我在巴黎总店干得有声有色，连续加了两次薪水，我一个人花不了那么多钱的，何不让我来投资你呢？你放手去画，每个月我会寄给你100法郎，听好，那可不是白给你的。你的画全归我，等你成名了，我就会连本带利的都拿回来的。”

“可是，要等多久我才会成名呢？你真的觉得我可以吗？”

“别忘了，我是一个眼光锐利的画商。我看过你的画了，没错，它们并不成熟，但有一种爆发力，我相信我不会看走眼的。但文森特，我必须老实说，你得先加强透视法，你的透视一塌糊涂。”

“皮德森牧师也说过同样的话，他还建议我到布鲁塞尔学透视。他说那里有几个荷兰画家合租了一间画室，免费教画。”

“那你还等什么，快去啊！”

“我付不起那里的生活费……”

“你忘了，现在你每个月有100法郎，省着点用，不管你想住在哪个城市，都不会有问题的。”

“提奥，”泪珠在文森特的眼中闪动着，“谢谢你。”

“好，我们就这么说定。”提奥紧握着哥哥的手。

“家里的人会谅解我吗？”文森特还是忍不住问了。

“大家都很关心你，尤其是妈妈，她非常挂念你。”

想到妈妈，文森特眼中的泪控制不住地流了下来。

提奥告诉文森特许多家里的事情，文森特也告诉提奥这一年来自己的心路历程，兄弟俩敞开心门地聊着，时光仿佛又回到过去。

隔天提奥返回巴黎，文森特也准备离开矿区。

他在居住了两年的黑乡做了一番巡礼，一一告别矿区的友人后，坐上开往布鲁塞尔的火车。

亲爱的提奥:

我知道我的画有些地方不太对，但我在这幅画中加入了自己的感情，不只是客观的写实。我画出了一家人处于悲惨境遇中，却过得安详平静的状态。他们是一群以马铃薯为生的农人，他们种马铃薯，吃马铃薯，长得也像马铃薯。他们对土地谦卑恭敬，对大自然驯服顺从。他们的生活态度让我对人生、对生命产生无限的感慨。

我现在更明白了，我要画的不是一个比例正确的头像，而是生动的表情。简单地说，我不想描绘没有生命的东西。

文森特于努能

1884年5月

凯依表姐

4月的艾田虽然百花盛开，却笼罩着早春的冰冷。

在布鲁塞尔学了三个月的透视画法，文森特的画面有了深度，人物也不再那么扁平单薄。4月初，他回到艾田牧师馆。

西奥多卢和安娜对于儿子想以画画为终生之志业这件事有不同的看法。

安娜显得兴致盎然，“那可好了，我们家族出了两个画家，听说安东[1]赚了不少钱呢！”

安东·莫夫是文森特的表姐夫。他的画在海牙的古伯画廊都是以高价卖出，特斯特格曾向文森特提过他是个很棒的画家。

“文森特，一张画要画多久呢？”安娜问。

“得看情况，有时候几天，有时候得画上好几个月呢！”

“要那么久啊！”安娜嘟囔着，“那还是很不好赚啊。”

文森特也没再搭腔。

西奥多卢却开口了，“文森特，你真的能靠着画画谋生吗？”

“刚开始当然不行，不过提奥愿意支持我，我也有信心，等画上手，能够卖画了，自然就没问题了。”

这个答案并没有让西奥多卢满意，不过比起文森特逗留在矿区里让他放心多了。

---

1 安东·莫夫(Anton Mauve, 1838—1888)，荷兰的风景画家。

文森特当然了解父亲对他的期望与失望，如今又走上一条父亲不喜欢，也不了解的路，自然不愿意过于亲近他。他心里很明白，若想在家里住下去而不惹得大家不开心，就必须和家人保持一定的距离，特别是父亲。

他整天在田野上写生，几乎从天亮画到天黑。他画劳动的农民，不论男女，不论是在做什么事，翻土、播种，或犁田，他都一而再，再而三地描画着。他想将农民的纯朴带进画里，将大地的厚实表达在画面上。

镇上的居民看他成天在田野里写写画画，都把他视为游手好闲的怪物。他并不在乎，也避免和大家往来。但西奥多卢却如坐针毡，尤其当他看文森特反复地画着一个人体，终于忍不住开口问："文森特，你一直都画不好吗？"

"是啊！"文森特埋头涂改着一个农妇。

"你会不会走错行了？"

"爸，我不懂你的意思。"

"做每一行都要有些天分，你如果有点画画天分，应该一画就好，不应该一直涂涂改改啊！"

"艺术家是需要磨练的，相信我，有一天我一定会画得好的。"

"文森特，我怕你是弄错了。艺术家的作品都是好的，不然怎么会被称为艺术家呢？如果作品不够好，就不配称为艺术家，就应该有所觉悟。你画这个女人好几天，还是画不好，你有没有想过这当中

有什么原因？如果你一年又一年地画，却都画不好，你该怎么办？你还能称自己是个艺术家吗？”

文森特抬起头来，他看到了一张陌生的脸。

在家里，母亲依然关爱他。大妹安娜已出嫁，二妹伊丽莎白则将他当成怪物，生怕他的存在会影响别人前来说媒。小妹维敏尔对他最好，只要他开口，她就会充当他的模特儿。小弟科尔对他有一分畏惧，始终离他远远的。一家人看起来和乐融融，文森特却觉得在家里反而比在矿区时更为孤寂。

随着夏天的到来，日照渐渐长了起来，文森特逗留在野外的时间也就更长了。这一天，当他回到家时，意外地发现表姐凯依来了。

离开阿姆斯特丹后，文森特就没见过凯依。他曾听母亲提起，凯依的丈夫不久前去世了，她一直无法从失去丈夫的哀痛中走出来，因此带着儿子前来艾田散心。

再次见到凯依，文森特的心又热了起来。

凯依因忧伤而消瘦，神情黯然消沉，声音也失去了热情，文森特却在她的身上看到一种成熟美，一种经历人生苦难的生命之美。文森特知道该说些安慰的话，却又怕勾起她的哀伤，于是建议她一起去写生，凯依欣然答应。

文森特在途中替凯依的儿子找了个鸟蛋，替凯依摘取野花，一路上有说有笑的。当他在画画时，凯依默默坐在一旁，看书、发呆，或陪着儿子嬉戏。文森特心里也洋溢着欢乐。

有一天凯依看着他的画说："幸好你没去当牧师。"

文森特兴奋极了，"你的意思是我更适合当画家？"

"嗯，我看得出来，你的画里有些不同的东西，跟荷兰那些画家都不一样。"

文森特咧着嘴笑着，手上的笔好像自己会动似的在画纸上画着。他从来没有画得这么带劲，一口气画了好多张。

他没有再跟凯依说话，只是默默地画着，偶尔瞟她一眼。看着凯依，他便感觉到一股暖流在心中流动，他从来没有感到如此踏实，如此幸福。被爱修拉拒绝后，他便将心门锁了起来。这么多年来，他没听过女人对他说过一句亲密的话，也没有被温柔地凝望过。他原以为自己不在乎，此刻才发现这些年来他的心是多么孤寂啊！

他对于爱情有一种新的渴望，很想大声喊："凯依，我爱你，做我的妻子吧！我要将你拥在怀里，深情地吻你，让我们永远厮守在一起吧！"但他忍住了。他知道凯依刚遭丧夫之痛，还无法接受新的感情。他尊重凯依对亡夫的感情，于是告诉自己，耐心等待，只要耐心等待，凯依终究会投向他的怀抱。

提奥来信邀他去巴黎，他知道自己还没准备好，不敢贸然行动，不过他很想去海牙走一趟，一来去拜访特斯特格，二来和表姐夫安东·莫夫聊聊。他告诉提奥这个想法，提奥很快回信并附上去海牙的火车费用。

再度踏入海牙画廊，文森特不由得一阵惊叹。他几乎忘了几年

前他也曾在如此优雅、高贵的环境里工作过。他为自己的粗糙衣服感到寒酸，如果不是为了见特斯特格，他是没有勇气踏进来的。

文森特和特斯特格已经八年没见了。听提奥说，特斯特格提拔后进不遗余力，买下新画家的作品，还不断地鼓励他们，这些新人果然都能在短时间内蹿红起来。当莫夫还是个新手时，他就预言莫夫会成为画坛新星，果然才几年工夫，莫夫已成为荷兰知名画家了。

“文森特，我正在等你呢！”特斯特格穿着一套剪裁得宜的黑色外套，配上笔挺的条纹长裤，一脸的络腮胡修剪得伏帖圆整，额头敞亮，目光锐利，比八年前更有气派。

一阵寒暄之后，文森特直接转入此行的目的，拿出画作请特斯特格指教。

特斯特格看完后，不发一语，屋子寂静得吓人。

“特斯特格先生，您觉得怎么样？”

“是还不错，不过还不够好。这些画都有些错误，可是究竟错在哪儿，我一时却说不上来。”特斯特格停了下来，盯着画稿沉思着，过了一会儿又说：“如果你想听我的建议，我会说还是专心临帖吧！你还不到创作的时候，先把基础打好比较重要。”

“我想来海牙学画，你觉得可行吗？”

“临帖在哪儿都行，不过海牙是个好地方，有许多青年画家，多和他们交往对你是有益的。”

特斯特格的批评让文森特相当沮丧，不过他没有失去信心。他告诉自己，特斯特格的眼光是古伯画廊里最挑剔的，要让他看上眼可不是容易的事。他离开画廊后，立即转往表姐夫莫夫家。

表姐吉蒂相当热情，莫夫也很热情，在欢愉的晚餐后，莫夫带着文森特来到他的画室。

莫夫的画室相当宽敞，地毯上陈列着许多画架，墙上挂满了画作，书籍四处可见，空气中散发着一股好闻的烟叶味。

莫夫抽着烟斗，一边看着文森特的画作。“如果当作练习，这些画还不算坏，可是要当画家就远不够格。”

“我不太懂您的意思，姐夫。”

“文森特，我的意思是说，如果你真想走画家这条路，就不应该抄袭别人。”

“我以为临帖对我有帮助。”文森特想起了特斯特格的批评，不敢直接将创作拿出来。

“那只是暂时的，要当画家就要创作，要写生。文森特，难道你没有自己的作品吗？”

文森特胆怯地拿出了矿工和农民的素描。

莫夫静静吸着烟，文森特的心猛跳个不停。莫夫用手拨弄着垂下的头发，吸完最后一口烟才开口。

“这些画很笨拙，但很真实。文森特，你的画有一种力量，那种力量让人说不出到底是什么，却会抓着人不放。文森特，你已经上手了，把那些画帖扔掉，去买些颜料，越早开始画颜色越好。”

“我真的可以开始用颜料？”文森特简直不敢相信自己的耳朵。

“当然了，你的画还半生不熟，但只要你继续画下去，就会不断进步的。”

“姐夫，我想来海牙学画。我很需要一个老师，一个像你这样的人指点我，姐夫，你愿意收我当学生吗？”

莫夫的眉头皱了起来，“文森特，我没有空收学生。请你原谅我，我真的很需要用每一分每一秒来工作。”

“姐夫，我不会太麻烦你的，你只要偶尔让我来你的画室看看你怎么创作一幅画，或听你谈谈你的作品。趁你休息时，拨一点空指点我的错误，我不会用去你太多时间的。”

“可是，收学生是一件大事，一个重大的责任啊！”

“姐夫，我保证不会成为你的负担。如果你不愿意被打扰，我绝不来；等你愿意见我的时候，我再来，这样行吗？”

莫夫陷入沉思中。他工作的时候根本不喜欢有人在旁边，也不喜欢在画作完成之前谈论自己的作品。他更不愿意去指点一个初学者，但文森特毕竟不是外人，再加上他的画中有一种粗犷的热情，那热情使他心动。他点头了。

“好吧！那我们就试试看吧！秋天我要去德伦特，你冬天再来吧！”

“谢谢你，姐夫。”

在回家的火车上，文森特宛如飞上了云端的鸟儿，在心中勾勒出一幅美丽的画面：他和凯依母子在海牙共组小家庭，他努力画画，凯依为他料理家务，两人齐心奋斗。他相信在爱的滋润下，在莫夫的指导下，他的画会一日千里，不久便能卖画，成为一个受人景仰的画家。

回到艾田后，他急忙宣告这个好消息，凯依比任何人都开心。

看到凯依欢喜的样子，他感动极了。他从凯依眼中看到了爱的光芒。他无法再等下去了。他决定要找个适当的时机向凯依求爱。

不，绝不，绝不

10月的阳光暖洋洋地照着大地，文森特画了一整个上午后，和凯依并肩坐在大榆树下吃着午餐。凯依的儿子跑了过来，和文森特一起玩。玩了一会儿，小男孩躺在他身旁睡着了。凯依怕儿子着凉，从篮子里拿出一条小毯子，弯着身替儿子盖上。她的身子碰触到文森特的脸，这一碰触令文森特天旋地转。他再也控制不住，一把抱住了凯依。

凯依被这突如其来的举动吓坏了，猛烈地挣扎着。

文森特将她抱得更紧，一串串狂热的字句自嘴中迸跳出来。

“凯依，我不能再假装什么事也没有了，从我第一次在阿姆斯特丹见到你，我就爱上你了。凯依，请你嫁给我吧！让我们永远生活

在一起，我会照顾你，爱你一辈子的。凯依，说呀，说你也爱我，说你要嫁给我。凯依，我知道你是爱我的，你在等我向你表白，现在我已说出心里的话了，请你也大胆地说出来。凯依，我不能没有你，我需要你，我要你嫁给我……"

凯依的脸上充满了惊吓与恐惧，她没听清楚他所说的每一句话，却抓住了大意，坚定而果决地说："不，绝不，绝不。"

她挣脱他的怀抱，抱起沉睡中的孩子，发了疯似的往牧师馆奔去。

文森特在后头追着，沿途不停地喊着："凯依，不要跑，不要跑！"

文森特追上了她，抓住她的手。"凯依，我这么爱你，你为什么要逃呢？你还不明白吗？我不能没有你，嫁给我吧！"

凯依眼中的惊吓转为愤怒，斩钉截铁地又说了一次："不，绝不，绝不。"

她又跑了起来，文森特傻傻地坐在地上。

他一直以为凯依是爱他的，为什么要逃呢？这究竟是怎么回事？

当他回到牧师馆，立刻嗅出家里的气氛不对，尚未开口，父亲便先发制人，"你怎么可以那样污辱你表姐？"

文森特不甘示弱，"我没有污辱她，我只是告诉她我爱她，求她嫁给我，我哪里做错了？"

“荒唐，你居然爱上你表姐！”

“有什么不可以，她的丈夫死了，我为什么不能跟她结婚？”

“结婚？你拿什么养人家，别忘了，你还得仰赖提奥呢！”

“只要她肯嫁给我，我会有办法的。”文森特抓起画架，跑回自己的房间。

文森特将自己关在房里。他实在想不通凯依为什么会说出“不，绝不，绝不”那种撕裂人心的话。

他一夜未眠，直到天蒙蒙亮时才合上眼。

中午醒来，他急忙去敲凯依的门，没想到她已经离开了。

凯依走了，他无心工作。

他给凯依写了一封封热情洋溢的信，没想到几个星期后，这些信原封不动地被退了回来。他决定亲自跑一趟阿姆斯特丹，向凯依说明自己的热情，可是他没有钱。父母因为凯依的事和他的关系越来越僵，父亲甚至不再掩饰对他的不满，若开口要钱，铁定会遭到一番嘲弄，于是他转向提奥。

提奥没让他失望，问都没问就将钱寄来。

到了阿姆斯特丹，正好是晚餐时间，他冲过仆人的拦阻，直入斯托克牧师家。凯依一看到他，连忙逃入房里，斯托克牧师也示意家人离去，满脸愤怒地望着文森特，似乎准备大打出手。

“你这个忘恩负义的东西，竟然登门入室来追我的女儿，你到底有没有把我看在眼里？”

“斯托克姨丈，让我见见凯依吧！我有话跟她说。”

“她不想见你。”

“你说谎。”

“你敢这样跟我说话？”

“除非她亲口跟我说，不然我不会相信的。”

“文森特，你知道你给家人惹了多少麻烦吗？当初你在这儿，我又是怎么对你的呢？你的脑袋里到底装了什么？醒醒吧！文森特。”

“姨丈，我知道我在做什么，我知道我离成功还有一段路，但我会努力的。只要给我时间我就会成功，我就能给凯依幸福。姨丈，请给我一个机会吧！我爱凯依，发了疯似的爱着她，我无法忍受见不到她的痛苦，一天也不能。”

“不管你怎么说，我都不会答应的。”

一把火在文森特心里燃烧着，他瞄见桌上的烛台，将手举向烛台。“让我跟她说话吧！”他将手背放在烛火上，“我能把手放在这火上烧多久，就让我见她多久。”

斯托克牧师瞪着他，原想几秒钟后他就会受不了，没想到当烛火的黑烟熏黑了文森特的手背，他依然动也不动。斯托克牧师吓呆了，几度想要开口却发不出声音。文森特的手背开始龟裂，他依旧不动如山。

“让我跟她说话吧！”文森特哀求着。

“你这疯子！”斯托克牧师扑过去，抢走烛台，猛然将蜡烛吹熄。

房间完全陷入黑暗中，两人却清楚地看到对方愤怒的眼神。

“你以为这样做能证明什么？”斯托克牧师吼着，“什么也不能！你滚吧！凯依不会理你的，她根本瞧不起你，你这没用的家伙。”

文森特不知道自己是怎么走出斯托克牧师家的，也不知道沿着运河走了多久。“不，绝不，绝不！”这句话像一股巨流一直在他的脑海中冲刷着。

黑暗笼罩了整个街道，手背的疼痛慢慢涌现出来。他将手举到嘴边，舔噬着灼裂的伤口，两行泪水霎时涌了出来。

他的心如刀割一般，在暗夜里低声啜泣。

海牙学画

因为凯依的事情，文森特与父亲在圣诞节发生了一场剧烈的争吵，西奥多卢在愤怒之余竟开口要文森特搬出去，文森特也不遑多让，头也不转地便跑了出去。

他来到海牙投奔莫夫。

“莫夫姐夫，我再也无法待在艾田了，请你现在就收我吧！”

“既然这样，就留下来吧！”莫夫给了他一张支票，要他去租

房子。

“莫夫姐夫，你愿意教我，我已经感激不尽了，怎么还能拿你的钱呢？”

莫夫将钱塞进他手中，“你才刚起步，别跟我计较这些，等你开始画水彩，特斯特格就能帮上你的忙，卖了画再把钱还给我就是了。”

文森特在城郊租了间画室，离莫夫家大概只有十分钟的路程。他买了些简单的家具，安顿好之后，便开始工作起来。

第一次画水彩，文森特像个孩子似的把画弄得一团糟，心里不由得急躁起来。

莫夫一再安慰他，“别急，水彩不是那么好弄的，想把颜色弄好，非得毁上十几张画纸不可。”

文森特毁掉的何止十几张画纸，还有一盒盒的颜料。颜料的价钱又超乎想象的贵，他很想回头去画铅笔画，却怕莫夫以为他不肯学，嫌他没长进而不肯再教他。他告诉自己，好不容易有了个老师，就算每天空着肚子也得画。

他每天只靠着一块硬面包和一杯黑咖啡度日，尽管如此，还是经常付不起模特儿的费用。海牙的冬天又时常下雨，根本无法在户外写生，因此一旦没有了钱，他几乎什么事也不能做。他厚着脸皮把自己的窘境告诉莫夫，莫夫立刻推荐他成为“求美会”的会员。求美会是个绘画协会，有画室，还有模特儿，会员可以每周去两次。成为求美会的会员后，文森特总算稍为脱离窘境。

有一天，他正埋头作画时，特斯特格突然出现在他的画室里。

“文森特，你不会怪我突然来访吧！告诉你，这种突如其来的拜访，总会让我有惊人的发现喔！”他的头发梳理得光亮整齐，皮鞋也擦得像面镜子。

“谢谢你来看我，特斯特格先生。”

“别客气，你搬来以后我就一直想来看你，我答应过提奥要照顾你的。”他的目光迅速地在画室里扫了一遍，屋里除了一张桌子、两把椅子和一张床外，几乎什么也没有。“莫夫说你正在画水彩，太好了。你知道吗，现在水彩画的销路很好，你只要加把劲，我有信心，再过不久你就可以添几样像样的家具了。”

“瞧，我不是正在努力吗？”

“好好好，莫夫很快会把你调教成一名出色的画家。在我看来，你只要再加把劲就行了。”特斯特格舔了舔上唇，又说，“文森特，你得快点赚些钱，想法子自立起来，别老靠着提奥，上回我去巴黎，看得出他很辛苦。”

“我也这么想。”提到提奥，文森特心中涌起一份歉意。

“你明白就好，好了，我得走了。下回来，说不定就能替你卖几张画了。”

“谢谢您，先生，我会努力的。”

渐渐的，文森特掌握住了水彩的特性，心里颇为得意。为了早点

把画卖出去，他学着画廊里的画，画起俗艳的色彩，莫夫看了，恼怒地将它们撕得粉碎。

“文森特，当一个艺术家就得有自己的风格，不要去迁就那些粗俗的人。”

“姐夫教训得是。”文森特羞赧地垂下头。

“你缺钱用吗？”

“没有……”他急忙将头转开，不想让莫夫发现他说谎。

他已经一整天没吃饭了，但他不要成为莫夫的负担。他在莫夫和表姐吉蒂面前尽量避免谈到钱，有时候待得较晚，表姐留他吃饭，他也拒绝了。他忍受着饥饿的痛苦，耐心地等待提奥的汇款。

莫夫为了庆祝新作《斯海弗宁恩》的完成，在家里举行庆祝会，海牙的画家们都蜂拥而来。大家围在那幅巨大的油画前，赞美声此起彼伏，文森特也看呆了。

几匹马在河滩上拖着一艘船。那是一些可怜的老马，有黑色的、棕色的和白色的，饱受凌虐，却温驯、沉默、耐心地站在那儿。它们必须把沉重的船拖上最后一段路。任务就快完成了，它们稍息片刻，正在喘着气。在那些马的身上，文森特看到了一种坚韧的特质，一种无怨无尤的态度，心中充满感动。

“莫夫这幅画，大概会令米勒伫立良久吧！”他脱口说出这句话。

众人的目光顿时转向他，在他褴褛的衣裳上移动着。有的露出鄙夷的目光，有的嫌恶地互问着，“他是谁呀？”

莫夫急忙替文森特一一介绍。

大家听说文森特是梵高家的人，态度立即转变，纷纷表现出友善的态度。

维西恩布鲁奇[1]却语带嘲弄地说：“你那些叔叔伯伯赚的钱多得数不完，他们怎么不替你做几套像样的衣服呢？”

“他们有钱是他们的事，跟我有什么关系？”

“口气不小嘛！嗯，让我来猜猜，是他们不赏识你呢，还是你根本就是个窝囊废呢？”

“不干你的事！”

文森特正想掉头而去，维西恩布鲁奇一把抓住他的手臂，“有骨气，我就想试试你的脾气。好小子，有出息。”

维西恩布鲁奇身材矮小，个性却火辣得很，批评起别人的画从不留余地，因而得到了“无情刀”的绰号。他向来独来独往，除了莫夫外谁也不搭理。有一次特斯特格稍微批评了他的一幅画，他立刻将所有画从画廊取回，并拒绝在那儿销售。没有特斯特格，他照样把画卖掉，没有人知道他是怎么做到的。

隔天维西恩布鲁奇意外地出现在文森特的画室里。

“啧，这简直像座狗窝呀！”维西思布鲁奇依旧不改其刻薄本性，“你干吗不改行呢，狗的日子真有这么好过呀？”

1 维西恩布鲁奇(Hendrik Johannes Weissenbruch, 1824—1903)，荷兰画家。

“要改，你先改。”

“太迟了，我已经成名了，你才出道，还有机会改。”

“你当心，我将来的作品会比你好。”

“哈哈，那是不可能的。不过，你的机会比海牙那些画家大得多，只要你保持住自己的特色，别让他们改变你就行了。”

文森特知道遇到了知音，口气缓和了下来，“看看我的画吧！”

维西恩布鲁奇的目光扫过水彩画，“菜里没撒盐，没味道。”

当他看到矿工和农民素描时，脸上荡出了笑容，“这些画有意思。”

文森特原本等着被狠狠批评一番，没想到维西恩布鲁奇却说得轻飘飘的。

“特斯特格说我画得太粗野了，还说了我一顿。”

“他懂什么？这些画的力量就在这儿。”维西恩布鲁奇卷着烟丝，抽了一口，“莫夫说你是天生的画家，特斯特格不以为然，莫夫跟他争辩，当时我也在场。我那时没看过你的画，插不上口；现在我看了，下次他要是敢再那么说，我铁定会替你讲几句话的。”

“莫夫真的那么说？”文森特又惊又喜。

“嘿，别因为这句话昏了头！我告诉你，到六十岁以前能画出几张好画，你就该偷笑了。”

“呸，你才四十出头，不已经成了大画家了吗？”

“我告诉你，文森特老弟，那都是唬人的，骗那些不识货的呆子。那些画要真是那么好，我早就自己存起来了，怎么舍得卖呢？小子，我现在不过是在练习，等我到了六十岁，我才会认真地画，到时候我一张也不卖。你去问问那些艺术家，有谁会把自己最精彩的画卖掉的，能卖的，都是些废纸。”

文森特打心里喜欢维西恩布鲁奇。

这一天，文森特带着新完成的水彩画去找莫夫，表姐吉蒂愁容满面地说：“文森特，你改天再来吧！他又发作了。”

“他病了吗？”

“不是的，他又陷入他的画里了。他每次都这样，开始构思一幅新画就变得六亲不认，有时候连饭也忘了吃。整个人紧张兮兮的，脾气又坏，谁要敢在这时候去打扰他，准会挨骂的，连我都不敢招惹他。文森特，你回去吧！我会告诉他你来过了，你等他精神好一些再来吧！”

几天后文森特再去，吉蒂还是同样的话。

文森特的口袋里已经没有钱了，提奥的汇款却还没来，偏偏这时候莫夫又不肯见他。他沮丧地在街头闲逛着。

到海牙后，他经常挨饿，可是多半撑个两天，提奥的钱就会寄来。这一次，却迟了好几天，他担心提奥会不会是出了什么事。又过了两天，钱还是没来，他开始怀疑提奥是不是在他最紧要的关头弃他于不顾。饥饿的痛苦让他想起了矿区里的日子。他不免绝望起来，难道他注定要终生挨饿？

几天没吃饭，他感到浑身不舒服，头疼、牙疼，胃也难受。他感觉到全身的热情和活力正在流失中，这是一种很可怕的感觉，一旦丧失了热情和活力，他凭什么作画呢？

又过了两天，提奥的钱还是没来。他决定放下自尊去向维西恩布鲁奇借钱。

维西恩布鲁奇相当富有，却过得非常简朴，画室里除了一把椅子和画架外，并没有其他东西。

“有事吗？”他在作画时很讨厌受到打扰。

文森特困窘地说明了来意。

“喔，你找错人了，文森特，我可是从不借钱给别人的。”

“你手头不方便吗？”

“你以为我跟你一样一张画也卖不掉吗？不，我的画卖得可好呢！我在银行里的存款我三辈子都花不完呢！可是我有一个怪癖，就是不借钱给别人。”

文森特压下自尊，“我现在急着要用钱，才会来跟你开口，请你借给我20法郎吧！等我弟弟的钱一汇来，我会立刻还给你的。”

“文森特啊！你怎么还听不明白呢？我不会借钱给你的。”

“维西恩布鲁奇，请你行行好，把钱借给我吧！我穷得连粒面包屑也没有。”

维西恩布鲁奇哈哈大笑，“好极了，这表示你还有机会成为一个画家。”

“我不懂，饿肚子跟成为一个画家有什么关系呢？我需要吃饭，没有力气我什么也做不了。请你把钱借给我吧，就算十法郎也好。”

“说你不懂，果然不错，”维西恩布鲁奇放下画笔，嘻嘻笑道：“告诉你，只有饿肚子才能使你成为一个一流的画家。记住喔，文森特，肚子饿比吃得饱饱的有意思多了。你吃的苦越多，将来的收获就会越丰富。”

“维西恩布鲁奇，你何苦这么消遣我呢？”

“我不是在消遣你，是在告诉你一个真理，”维西恩布鲁奇用画笔指着文森特，“没有吃过苦的画家就没东西可画，艺术家要靠痛苦来磨练，相信我，你吃的苦越多，将来受益就越多。你可以回去了，别在这儿妨碍我。”

“你这是什么谬论，我已经饿了好多年了，有好几次差点死掉，这些痛苦的经历对我又有什么好处呢？”文森特激动了起来。

“你以前吃的那些苦不算什么，你根本还没真正搔到痛苦的皮毛呢！我劝你现在快回家去，拿起笔来画，你越饿就会画得越好。”

“维西恩布鲁奇，别跟我胡扯了，借我些钱吧，十法郎，或是五法郎都行。”

“我不借你，是看准你是块料，如果我现在借你钱，就等于剥夺你成名的机会，我绝不会这么做的。”

“你这个老滑头！”文森特激动了起来。

“别想跟我打架，以你现在这副德性，绝打不过我的。我劝你还是省点力气，回家画画吧！”

文森特没有回家，反而走向古伯画廊。

特斯特格冷冷地问：“文森特，你怎么了？”

文森特厚着脸皮向特斯特格说出自己的窘况。

特斯特格很爽快地拿出了20法郎，却以一种教诲的口吻说：“文森特啊，你都已经三十岁了，早应该自食其力。我真的很想卖你的画，不想看到你拖累提奥。你要努力一点，赶快自立起来吧！”

文森特不由得恼火起来。“先生，你要知道，我每天五点钟就起床，一直画到夜里十一二点，偶尔停下来吃口东西，如果这还叫不努力，什么才叫努力？”

“那我就不懂了，一个有才气的人，经过这么多磨练，早该甩掉那种粗糙的画法了，你却没有，真奇怪啊！”

“你说我没有才气？”

“我没这么说，但到现在为止，我也没看见。”

特斯特格眼中流露出的鄙视，深深刺痛了文森特。

“瞧你那副模样，可怜兮兮的，快去吃点东西吧！”

食物填饱了肚子，心灵的伤痛却愈发深了。文森特走进一家小酒馆，坐在靠墙的椅子上，喝着最廉价的酒。一种被鄙视和遗弃的感觉正在啃噬着他，他喝了一杯又一杯，觉得好孤寂，好沮丧啊！

“我可以跟你喝一杯吗？”一个女人在他身旁坐下。

“你来得正好，我正需要解解闷。”文森特挪动身子，“我叫文森特。”

“我叫克丽丝汀，你可以叫我西恩，那是我的小名。”

克丽丝汀是个可怜的中年妇人，怀着身孕，靠洗衣为生。她一天洗12个小时的衣服也不够填饱一家人的口，缺钱时她只好出卖身体在街头接客。

“这是你第一个孩子吗？”文森特问。

“不，家里还有好几个呢！”克丽丝汀将杯底的苦酒一饮而尽。“我可以要一杯吗？”

“一杯，我还付得起，再多，就不行了，”文森特苦笑着，“我口袋里的这几个钱是刚刚才跟别人借的。”

“没有钱的日子真不好过，我也常缺钱，要不是缺钱，谁会在这种冰冷的天气跑出来呢？”

“到我那儿去，我可以生一炉火，你不会觉得冷的。”

“听起来还不错，现在就走吧！”

文森特和克丽丝汀像久别重逢的友人，各自叙述着自己坎坷的身世。克丽丝汀告诉文森特，她和母亲同住，根本不知道父亲是谁，因为她的母亲年轻时也是靠着在街头接客过日子，她和弟弟就是这样被生下来的。现在，她的孩子也都来自不同的父亲，肚子里的这个几个月后就要出生了，同样的，也不知道父亲是谁。

文森特则讲起在矿区的悲惨经历，也谈到了因为凯依与父亲的

冲突，以及在海牙挨饿的种种经历。

第二天早上，梵高在咖啡香中醒来，发现自己不是孤零零的一个人，竟然有家的感觉。

石膏脚模

大约有一个多月的时间，文森特都见不到莫夫。

有一天，文森特正想去找他时，却意外地在街上遇到了他。莫夫低着头，失魂落魄，整个人瘦了一大圈，文森特连叫了他好几声，他都没听见。

“莫夫姐夫，等一等。”文森特快步跑过去，挡在他面前。

莫夫看了他一眼，又垂下头，继续往前走。

“莫夫姐夫，你怎么了？”文森特跟了上去。

“我现在很忙。”莫夫的口气很冷。

“我晓得，那幅新画进行得怎么样？”

莫夫没有回答。

“姐夫，我可以去画室看你吗？我怕我的水彩画没有什么进展。”

“我现在没空。”

“只要一下子就行了。”

莫夫停了下来，眼中闪露出一丝亏欠之情。

“好吧，你下星期来。”他加快步伐，好像怕文森特会跟上来似的。

文森特凝视着莫夫的背影，不禁自问着，画画怎么会让一个原本充满活力的人萎缩成这样？他实在不明白。

一个星期后，文森特走入莫夫的画室，他原想看看那幅新作，不料莫夫却用布遮了起来。

“你来做什么？”他疲惫地靠着躺椅。

“我带了些水彩画想请你看一看。”

“文森特，你知道我没有时间，在这个节骨眼上，求求你别来打扰我好吗？”

“是你答应的，我才来……”

莫夫想起了在街上说的话，勉为其难地站了起来。

“画呢？”他的眼中充满了血丝，接过文森特的画，瞄了一眼，火爆地嚷了起来，“不对，不对，你的素描完全不对！”

“怎么会呢？你不是说过，我画起素描便像个画家。”

“我当时一定看走了眼，把粗俗当成了特色，”他将画稿往旁一推，“如果你真想学习，墙脚有一只石膏脚模型，你好好地临摹吧！”

文森特向来讨厌素描模型，差点脱口而出，“我才不想画模型呢！”话到喉头却又吞了下去，好不容易莫夫肯见他，如果因此而闹得不欢而散，以后想再找他可就难了。他茫然地在石膏脚模前坐了下来，拿出几张纸，却什么也画不出来，回头看莫夫，他已经在躺椅上睡着了。

他让自己定下心来，开始画起石膏脚。

大约画了两三个钟头，莫夫突然醒过来，嚷着："给我看看，给我看看。"

他看着那些素描，吼道："不行！不行！不行！"

他将画纸撕成碎片，"你就不能扎扎实实地把一条线画好吗？你到底懂不懂得怎么画线啊？再画，继续再画。"说完他就走了出去。

文森特抑制着心中的怒火，继续画着。他越画越痛恨那只石膏脚模，可是他还是耐着性子。他又画了几个钟头。

"还是不行。"莫夫将文森特的画扔在地上，"你违反了每一条线的基本画法，把这只石膏脚带回去画，画不好就别再来了。"

一股闷气从文森特胸中爆裂开来，"我不想再画这冷冰冰的东西了，我要画的是人性，是人性！"他将石膏脚摔得粉碎，愤然跑了出去。

几天后，特斯特格又来了，讽刺地说："你还在搞这些啊？"

"是的，我正在工作。"文森特头也不抬地应了声。

"文森特，你就是这样，真让人厌烦，我才会不信任你，我不想卖你的画。"

"先生，我以为画卖不卖得出去应该和个人行为无关，而在于

作品的好坏吧！”

“没错，只要你能画出像样的画，我会立刻买回去，可惜，你根本做不到。”

“我想我还没饿到需要去讨好人家。”

“那天跟我借钱的时候你可没这么神气。”特斯特格哼了一声，“别以为我不知道你心里在打什么主意，你根本是不想卖画，打算赖着提奥一辈子。”

“先生，我不想再跟你争辩这些不属实的事，要是没有事，你可以回去了。”文森特下起逐客令。

“别以为我喜欢赖在这里，要不是你父母不断地来信要我帮你，我才懒得理你呢！”特斯特格气呼呼地走到门口，又折了回来，“文森特，像你这么傲慢，终究注定会再失败的，你等着看吧！莫夫和我会设法让你再也拿不到提奥的钱，到时候看你还怎么画下去。”

一团怒火在文森特心中燃烧着，“特斯特格，你何苦这样对待我呢？你不喜欢我，我不再去麻烦你就是了，你为什么不能让我走自己的路呢？为什么硬要将提奥从我身旁拉走呢？我就只有这么一个弟弟支持我，你竟然还要把他抢走，你太过分了！”

“我是为你好啊！文森特，唯有这样才能让你清醒过来。”

文森特简直快疯了，特斯特格的冷嘲热讽使他想到莫夫的冷漠，愤然抓起钱包跑到市场买了一只石膏脚模，匆匆跑到莫夫家。

“安东不在，”吉蒂说，“他正在生你的气呢，还说，他再也不想见你了。”

文森特把石膏脚模交到她手里，“请你把这东西交给他，跟他说，我再也不会来打扰他了。”

忧伤

自从凯依拒绝他后，文森特发现爱情在他心中已经熄灭了，取而代之的是一股无尽的寂寞。为了对抗孤寂的侵袭，他将所有的心力都放在工作上。刚来海牙时莫夫给予他很大的安慰与鼓励，之后又不说分明地冷落他，因此，当克丽丝汀跟他说“我晓得你没有很多钱，即使你拥有的更少，我也愿意跟你在一起”时，他感动地流下泪来。

文森特常常画她。她不再漂亮，也不再年轻，但她和他并肩工作。她不过分要求这个或那个，每当除了咖啡和面包之外别无其他食物时，她依然毫无怨言。摆姿势对她而言是一件困难的事，文森特却觉得她是最佳模特儿。

等到熟悉了她身上的各种线条时，文森特开始着手替她画一幅大画。

她裸体坐在炉边的一截木头上。文森特把木头画成一块木桩，旁边画了小草，场景因而变成了野外。远处的地平线高达她的肩部，

使得她那蜷曲的姿态看起来格外压抑。她侧坐着，粗糙的手放在膝盖上，头枕在手臂里，整个脸埋在消瘦的臂膀中，像一个不幸失身的少女正在暗自哀伤。简洁的线条勾勒出她那稀疏的头发，长发缓缓垂下，遮住了消瘦的背部。像球茎似的乳房无力下垂着，差点就碰触到大腿，隆起的腹部，透露着一个新生命正在成长。整幅画里弥漫着一股令人心痛的哀愁，文森特将这幅画命名为：《忧伤》。

文森特觉得这是他所画过最满意的素描，他将画寄给提奥，并在信中写着：

> 我自认为《忧伤》是我迄今画过的人物中最好的，因此我想我应该送给你。如果土地没有被锄过，便无法在上面种植。而她，就像被锄过的土地，痛苦和不幸在她身上烙下印痕，我现在正可以经由她开始创作。
>
> 是的，我知道母亲病了，我也知道父亲被调到新的教区——努能，这次的调动使他郁郁寡欢。此外，我知道家里还发生了一些其他事情。对于家里的事，我虽然不闻不问，却不是毫无感觉的，否则我就画不出《忧伤》这幅素描来……

克丽丝汀患有严重的贫血，胎儿的胎位也不正，到了怀孕末期几乎动弹不得。医生警告他们，她在生产时恐怕会有生命之忧。他们付不起海牙的医疗费用，于是到城郊小镇莱顿的妇产科待产。

克丽丝汀在母亲的陪伴下准备前往莱顿，临行前，文森特握着她的手说："西恩，当你从莱顿回来，不知道我过的会是什么样的生活。我不知道我是否有面包，但我有什么，便跟你和孩子分享什么。"

克丽丝汀柔情地说："你有什么，我们就吃什么。"

克丽丝汀离去后，他觉得很寂寞，却也感到轻松，因为他的荷包里早就空了。他可以几天不吃东西，却无法让克丽丝汀跟着他饿肚子。

挨饿的感觉痛苦难耐，持续好几天，文森特一直发烧、失眠，膀胱像火烧般的灼热。他觉得浑身不对劲，却安慰自己，等提奥的钱寄来，吃了东西后就会好了。可是当提奥的钱寄来，他填饱肚子后，不舒服的感觉依然存在，而且越来越严重。

他知道自己病了，只是他万万也没想到，他竟罹患了性病，还得住院治疗。

在医院里，文森特并没有停止作画。他有时候画病房情景，有时候速写病人形象。他很喜欢他的医生，总觉得他很像林布兰笔下的一些头像。

在他住院的第二个星期，西奥多卢突然出现在病房里。

"提奥说你病了，我想我应该来看看你。"西奥多卢的语气很平和，却也有些陌生。

"没什么大碍，再过一些日子就可以回去了。"文森特感到很不

自在。

“那个女人，你还是离开她吧！”

“我不会离开她的，”文森特看着父亲，“相反的，我打算跟她结婚。”

“结婚啊……”西奥多卢的反应很冷淡，“你是该结婚了，但我想你还是等等吧！”

西奥多卢将一包衣物、雪茄烟及十法郎交给他后便匆匆离去。

看着父亲的背影，文森特的心揪在一起。他总觉得父亲不像在探视儿子，而是在探视他的教友。他叹了口气，或许当父亲的教友会比当他的儿子轻松吧！

克丽丝汀的产期到了，他在医生的通融下提早出院。

他急忙赶往莱顿，当听到医生说“昨晚的分娩顺利”时，他的泪水流了下来。

他看着克丽丝汀疲惫而安详地躺在病床上，嘴里喃喃说着：“谢天谢地，她还在，死神并没有夺走她。”他吻着她的脸颊。

躺在她身旁的是个小男婴，文森特轻轻地将他抱了起来，像初为人父似的，心中充满了感激和爱怜。

他决定租一间较大的房子，让克丽丝汀出院后有一个温暖的家，也让自己有个舒适的画室。当他布置完新居后，以感恩的心情给提奥写了一封信：

弟弟，你知道吗？这些日子里我时常想念你。我现在所拥有的一切全都属于你，我对生命的热爱也来自于你。在你的帮助之下，我才能够前进。我感觉到有一股强大的力量正在我的心里滋长。

我之所以如此充实而无惧，其实还有一个理由：我有了一个家庭，真正的家。当然，这个家能否成立还得仰赖你，如果你同意我结婚，继续资助我，我的快乐与幸福就可以持续，所以说我所拥有的一切都属于你。

谢谢你，弟弟。没有你，就没有此刻的我……

文森特比以往更积极地作画，夏天还未过去，就完成了三张水彩画和许多素描。他觉得相当满意，心想那几张画应该可以卖掉，于是放下身段写信请特斯特格来看他的新作。他原本还担心特斯特格不肯来，没想到他竟然来了。

特斯特格随便瞧了一眼，便说："都是些旧作呀！"视线随即飘向克丽丝汀和孩子，眼中充满着不屑与鄙夷。

文森特极力将他的注意力引回画里，"不，那都是我最近画的。"

特斯特格没等他说完，嘲讽地说："文森特，全城的人都说你养了个情妇，我起初还不肯相信，今日一见，传言果然不假啊！"他的眼光又瞟向克丽丝汀，"而且还是个妓女！"

克丽丝汀的脸色一片铁青，转身跑进屋里。

文森特也恼火了，“听好，她不是我的情妇，是我太太。”

“你什么时候结婚了，怎么也不通知我们一声？”

“我们还没结婚，不过我打算跟她结婚。”

“你怎么会想跟一个拖油瓶的妓女结婚？你到底是慈善家，还是疯子？”他哼了一声，走了出去。

克丽丝汀从屋里出来，眼中噙着泪，“你还是不要理我吧！”

文森特迎上前去，“西恩，不要听他的，我的心是不会变的。”

“万一你弟弟也这么说，你怎么办？”

“别担心，提奥会了解的，”他说得很心虚，“等我详细地告诉他我们的情况后，他会明白的。”

“你真的有把握？”克丽丝汀依然流着泪。

“西恩，你听好，我要跟你结婚，我们的日子不会好过，但我会努力的。”

“文森特，我不会抱怨的。你是第一个真心对我好的男人，我愿意为你做任何事，我要做你的模特儿，我还要替你洗衣、烧饭，不管你要我做什么，我都会愿意的。文森特，只要能和你在一起，我就快乐了。”

当天晚上，文森特又写了一封热烈的长信给提奥，解释他要跟克丽丝汀结婚的理由与决心，并恳求提奥继续支持他。

提奥一直没回信，文森特感到忐忑不安，接连又写了两封信，提奥依然没有消息。痛苦的等待让他几乎快发疯了，他开始怀疑特斯特格一定跟提奥说了什么。他在心中呐喊着，“提奥啊，提奥，你千万不要在此时丢弃我。”

9月底，提奥突然来到海牙。

“先让我见见她吧！”提奥说。

“提奥，看在我的分上，把她当成一个妻子和母亲。”

“放心，我自有分寸的。”

克丽丝汀惶然不安，等她和提奥握过手后，发现提奥是个温和、有礼，又懂得尊重别人的人，心里坦然了许多。

克丽丝汀在准备晚饭时，提奥看着文森特的近作。

“怎么样，我的画可以卖了吧！”

“我还不敢说，不过你的画一直在蜕变中，每一幅画都有一种难以预期的转变。”

“别说得文绉绉的，一句话，到底能不能卖？”文森特急了起来。

“快了，就快了。”

“提奥，你不需要敷衍我，到底能不能？”

“老孩子，别心急，你的画可以卖，将来一定可以的。”

听到“将来”两个字，文森特的心沉了下去。

提奥不愿在此话题上打转，转而问道：“你不是一直想画油画吗？怎么还不动手？”

“那不是一笔小钱，你知道那些颜料比黄金还要贵。”

“明天你来旅馆找我，我们去买些颜料。记住，你早一天把油画寄给我，我就能早一天收回投资在你身上的本钱。”

“当初我在画水彩画时，特斯特格也是这么说。”

“我不是特斯特格，你应该相信我。”

“我当然相信你。除了你，我不知道还有谁可以信赖。”

晚餐时，提奥和克丽丝汀谈得很融洽，文森特大感宽慰。临走前，提奥还对文森特说，“她真的很不错。”

“那你赞成……”

“这件事我们明天再谈吧！”

隔天一早，文森特便跑去找提奥，两人并肩走向古伯画廊。

“文森特，你知道我向来不分阶级的，克丽丝汀是个好女人，不过我还是劝你要多想一想。”

“我想跟她结婚，是不希望人家把她当成我的情妇，或者让人以为我只是想跟她同居，而不想负什么责任。她是个苦命的女人，我想结婚能让她安定下来。我也想有个家，一个人过好寂寞。”

“我懂你的意思，可是在结婚之前，是不是得先让自己站得更稳些呢？”

“那当然，我总不能一直靠你，等我能每个月赚到150法郎，不需要靠你接济时，我才会考虑结婚的。提奥，我会一步步往前走，等我能卖画时，你就可以逐月减少对我的接济，直到我完全自立为止。你觉得我这么做，行吗？”

“这样最好，”提奥松了口气，“我忘了告诉你，我又加了一次薪，我可以每个月多给你50法郎。”

“提奥，你不必这样……”文森特感动得难以言语。

“虽然你还不打算结婚，但家里多了人，多点钱总是好的。”

文森特眼中泛着泪光，提奥拍了拍他的肩膀，“我们还得去买颜料呢！”

再见，西恩

当深秋降临到树林里时，文森特渐渐掌握了油彩的技巧。

山毛榉的落叶盖满了山坡，在秋阳下闪闪生辉，文森特努力地想捕捉住树林里秋阳的余晖，以及泥土的厚实感。他画了好几张，也毁了好几张。他发现如果直接用笔画，笔触会消失于已画好的地面上，很难表现出地面的厚实感，于是他直接把一条条又深又浓的颜料挤在树根和树干上，再用笔稍加修饰。经过一番努力，他终于在作品里与撼动他的景色取得共鸣。

为了把一块地面画得有力，或保持一片天空的晴朗，他毫不吝啬地将一管一管的颜料挤在画布上。因此每当提奥的钱一汇来，他就往店里冲，买一大堆颜料，可不到几天的工夫便又用完了。

尽管提奥多给了他50法郎，他却比以前更需要钱；他也发现要养活一个家庭比他想象中还要难。婴儿需要的东西，还有吃的、用

的，那些花费简直像个无底洞，他真不知道该如何应付。

冬天来临时，他无法外出写生，只好留在画室里画素描。画素描虽然可以减低颜料费用，但模特儿的支出却是另一笔款项，他只好将希望寄托在克丽丝汀身上。可是每当他要求克丽丝汀当模特儿时，她总是说："我得照顾小孩，还得打扫屋子、烧饭、洗衣，我简直忙死了。"

于是文森特比平常起得更早，挑起所有的家务，好让克丽丝汀有空当模特儿。尽管如此，她依然有话说，"我又不是一个模特儿，我是你太太呀！"

"西恩，你一定要当我的模特儿，这也是你来这儿的目的之一啊！"

"你的意思是说，如果我不替你摆姿势，你就要赶我走？"

"我不是这个意思，但你也知道，我雇不起模特儿呀！"

"雇不起就不要画呀！"

文森特发现克丽丝汀变了。她不但不想当模特儿，连料理家务也变得意兴阑珊，而且经常回娘家去。

文森特很不喜欢克丽丝汀的家人。她的母亲和她的弟弟一直要她走回头路。他们想尽办法影响克丽丝汀，让她觉得文森特不会照顾她一辈子，还一再地在她面前说，等文森特厌烦了就会将她踢到一边。

文森特一再向克丽丝汀保证，会照顾她一辈子，但克丽丝汀似乎宁可相信家人的话。她老是因文森特把钱花在颜料和雇用模特儿身上跟他争吵。文森特受不了这样的吵架，因此当春天来临时，他总是一早就外出写生。

在漫长的夏天里，文森特在户外的时间就更长了，他和克丽丝汀勉强维持着一种和谐的关系。可是当冬天又来了之后，他们之间的争执也开始激烈起来。每当争吵发生时，她总会说：“你受不了我了呀，你可以赶我走呀！”

克里斯汀几乎天天回娘家去，文森特曾经几近哀求地说：“西恩，你知道，我永远都不会丢下你的，别再动不动就回你妈那儿，跟我好好地过日子吧！”

“好啊，不过你得答应我，把提奥寄来的那150法郎全用在家里。”

“不可能，我宁可饿肚子也不能不画。”

“你不在乎饿肚子，我可受够了有一餐没一餐的。”

文森特顿时觉悟了，再这么下去只会毁了自己，对克丽丝汀也没什么好处；再说，海牙他已经待够了，该到别的地方去看看了。提奥知道他的困扰后，立刻寄来一封鼓励他离开海牙的信，还付上一笔旅费。

有了旅费，他随时可以离开，但他不想不声不响地丢下克丽丝汀。他将行李打包好，等克丽丝汀回来。

几天后，当克丽丝汀进门时，发现屋内空荡荡的，眼泪随即涌了

出来。

“你真的要丢弃我了?”

“西恩,你是知道我的,我真心诚意要跟你结婚。只要我有的,我都愿意给你。我原以为我们只要互相帮助,便可以过得下去,可是情况比我想象的还要难。在喂饱你的肚子和我的画画欲望之间,我只能选择一样……”

她垂着头,任由泪水肆意滑落。

他握着她的手,“我想时候到了,我们该分手了。”

“你说得对,文森特,我们各走各的路吧!”

“你知道,我是真心想对你好,看在这点上,你能不能答应我一件事?”

“什么事?”

“别再回到街上去,好不好?”

“我只能答应你,如果我赚的钱够养活我跟孩子,就不会回去干那一行;但如果我回去,必然是逼不得已的,不要怪我。”

“好,就这么说定。”

离开克丽丝汀,文森特虽然感到依依不舍,却没有太多哀伤。

努能情歌

那年年底,文森特来到父亲的新教区努能。

努能的居民大约有两千多人，大都是天主教徒，新教徒[1]只有一百多人。西奥多卢的教堂很小，比起艾田实在寒酸多了。牧师馆也一样，只有一间起居室、厨房、餐厅及三间卧室。

文森特原本没打算在家里留太久，可是当他在努能的乡间走动时，却爱上了这个美丽的地方。此外，住在家里可以省下住宿费，便可以用提奥给他的钱清偿在海牙的债务。他已经被债务逼得快喘不过气。

努能的居民大都是织工和农民。他们的生活很贫乏，却安贫乐道。在粗犷的生活中，文森特发现了真实的美。他想画夏日成熟的麦田、割草的农人、拾穗的妇人和劳作的织工。为了画画，他决定扯破表面的祥和，敞开心门跟父亲谈个清楚。

“你真的希望我留在这里吗？”文森特问。

“这也是你的家，你高兴住多久就住多久。”父亲回答。

“万一你又看不惯我的行为，和我吵起来怎么办？”

“那我们就应该尽量克制自己，不要让不愉快的事情发生。”

“可是该怎么解决画室的问题呢？你总不希望我把家里弄得一团乱吧！”

“我早就想到这个问题了。”西奥多卢说，“后院那间工具房整

---

1 基督教发展之后，分为东西两派，也就是东正教和天主教。这两个教派都赞美圣母玛丽亚，并崇拜上帝。后来天主教中出现了新教，把圣母摆在一旁，只关心耶稣，这个教派因而又称为耶稣教。

理一下就可以当画室，在那儿不会有人去打扰你的。”

文森特对这个安排感到很满意。

西奥多卢在文森特的房里摆了一个大火炉，在石墙上贴上厚纸，尽可能让房间舒服些。他原想再开一片大窗子，文森特却拒绝了父亲的善意。

文森特又恢复了早出晚归的写生习惯。晚上他不跟家人同桌吃饭，平常碰到面也只是点个头，打声招呼罢了。他原以为少接触，就可以减少摩擦，西奥多卢却视之为冷漠、无礼，甚至还写信向提奥诉苦：

> 文森特的情绪好像很恶劣，你知道有什么事困扰着他吗？
>
> 他不和人往来，也不拘形式和礼节，这里的人都在批评他。我们以最大的努力在包容他，我们设法不去注意他那奇怪的衣着，宽容他的冷漠，因为我们觉得他一定很痛苦。我真希望他能认清他今天之所以走到这地步，症结在于他那怪异的脾气，可是他从来不反省自己。对待他要非常小心，他实在太乖张了。

父亲说得没错，文森特确实处处感受到村民对他的敌意，老是觉得背后有异样的眼光盯着他。他不怪他们，这里的人几百年来都过着相同的生活，靠着双手挣一口饭吃。他们不了解艺术，也不懂得画画。

让文森特受不了的是，他老觉得有人在监视他。他原以为是自己过于敏感，可是不管他走到哪儿，那个人就跟到哪儿。他画得越起劲，那人就越靠近他，当他想抓住他时，他却又逃得无影无踪。

有一天，文森特假装专心作画，等那人逐渐靠近他时，他猛然抬起头来，大叫着："别逃，我注意到你了。"

那个人停下脚步，回过头来，眼中露出一种狂热的神采。

文森特呆住了，跟踪他的竟是个女人！

文森特仔细端详她，认出她是母亲的朋友，白吉曼家的五个姐妹之一。她曾和两个姐姐到牧师馆拜访过母亲。

"你是白吉曼家的姑娘，我认得你。"文森特说。

"我叫玛歌。"她羞赧地说出自己的名字。

"你为什么老是跟着我呢？"

"因为……"她舔了舔嘴，用轻得几乎听不见的声音说，"我喜欢你。"

文森特一阵惊讶，又一次端详着她。

她并不年轻，应该快四十了吧！他听母亲说过，白吉曼家的五个女儿未结婚，老大已经四十多岁了，最小的也过了三十。她们很少跟村里的人往来，靠着父亲留下的遗产过着近乎隐居的生活。

玛歌低垂着头，"是真的，当我第一眼看到你，我就爱上你了。"

文森特不知如何回答。

玛歌走向他，"你肯吻我吗？"

文森特更加惶然。

玛歌又低下头，“请你不要看轻我，我不是一个随便的女人，我已经三十九岁了，再过几个月就四十了。我一直在想，如果在四十岁以前还没有谈过恋爱的话，我就要自杀。”

“可是爱一个人不容易啊，特别是那个人也得爱你。”

“你说得对，当我还是个少女的时候也曾经爱过一个男孩，他也爱我，可是被她们赶走了，只因为他是个旧教徒。从此以后我再也没有遇见过喜欢的人了。”

“她们？”

“是我的姐妹。她们都不想结婚，我和她们不一样，我想恋爱，我想结婚，”玛歌顿了顿，“一个女人如果没有爱情的滋润，是很空虚的，你懂吗？文森特。”

“我懂，男人也一样。”

“你有爱人吗？文森特。”

“现在没有。”

“那就让我们在一起吧！”

“好。”文森特未加思考便脱口而出。

“那我可以向她们宣布，我恋爱了，”玛歌开怀笑着，“我终于恋爱了。”

从那天起，玛歌天天陪文森特在户外写生。文森特并不爱她，却喜欢她的陪伴。他们形影不离招来了村民的流言，西奥多卢几次暗示文森特要自爱，玛歌也同样遭到姐妹们的审问。

玛歌对抗不了她的姐妹，奔向文森特，泪流满面地恳求他，“和我结婚吧！不然我会被她们逼疯的。”

玛歌绝望的神情燃起了文森特的正义之火。他将她拥在怀中，“好，我们结婚。”

当文森特向家里宣布这个消息时，又引起了一场大风暴。西奥多卢隐忍多时的不满一泻而出，“别忘了你还在靠你弟弟供养呢！”

玛歌所受的阻力不下于文森特。她的姐妹禁止她再去看文森特，而且从早到晚一直在她面前咒骂文森特。玛歌的身体原本就不太好，在几个女人的攻击下，一天比一天虚弱。她眼中因爱情所燃起的光亮不见了，又蒙上了以往的忧郁。

几天后，文森特在一片丛林中写生，玛歌自田间疾走而来。她紧紧抱着他，全身抖得好厉害，却发出开怀的笑声。她异常的举动让文森特感到很不安。

“玛歌你还好吗？”

“我很好，”玛歌狂笑着，“这回她们无法再阻止我了，谁也没办法再破坏我的爱情。”

“可是玛歌，我们现在没办法结婚。”文森特感到一阵愧疚。

“没关系的，文森特。我知道你并不爱我，但我要你记住，在你这一生中，没有一个女人比我更爱你。”

“玛歌……”文森特对于自己的无情感到惭愧。

“别说了，我的情人，快画画吧！”

文森特转向画布，玛歌坐在一旁看着他，脸上洋溢着笑容。

文森特未发现任何不妥，于是开始画了起来。不一会儿，玛歌发出一声惨叫，他一回头，发现玛歌倒在地上，剧烈地痉挛着，身旁有个喝了一半的药罐子。他急忙将玛歌抱起，疯狂地跑过荒野，往玛歌家直奔而去。

“玛歌服毒了，我去找医生。”他将玛歌放在沙发上，玛歌的姐妹被这突如其来的事件吓呆了。

医生在替玛歌诊断时，门外围聚了一大堆村民，玛歌的姐妹们则指着文森特破口大骂。文森特默默地站在角落里看着医生将玛歌抱上马车，将她送到医院去。

玛歌服毒的事发生后，文森特知道他无法在努能待下去了，可是他还不想离开。他还没画完这里的景色和农民，于是带着简单的行囊往村外走去，在几英里外的天主堂附近租到了一间房子。

食薯人家

文森特远离家人，在努能度过了宁静而忙碌的冬天。

来年3月，家里传来了噩耗。西奥多卢从荒原探视教友回来，在牧师馆后门摔了一跤，一命呜呼。文森特急忙回家奔丧，提奥也赶回来了。

葬礼过后，兄弟俩在文森特的画室中彻夜长谈。

“有家画廊想用1000法郎月薪聘我过去，我一直拿不定主意。”提奥说。

“你上回在信里说古伯画廊换了新东家，他们一心只想赚钱，对你的经营手法并不满意，既然这样换了也好。”

“我的新老板布梭和拉瓦东，确实像我说的那样，他们虽然号称‘两君子’，却是十足的商人；不过我也担心别家画廊的老板也一样，所以不是很想答应。另外还有一个原因，我在古伯画廊已经12年了，何苦为了多赚几个钱而换老板呢？再说两君子答应过我，他们以后会派我去主持一家分店，到时候我就可以开始卖印象派的画了。”

“印象派？”文森特皱了皱眉头，“我好像在哪儿听过这个名字，那是一个画派吗？都有些什么人？”

“那不是什么画派，而是一群新人，有马奈、德加、修拉、莫奈、雷诺阿、塞尚、罗特列克、高更等人。他们曾举办一次画展，莫奈展出了一幅名为《印象：日出》的油画，有个评论家便把那次的展览称为‘印象派’，‘印象派’这个名称就这样被传开了。”

“那是什么时候的事？”文森特的背挺直了起来。

“差不多十年前吧！”

“那些人的画有什么特色？”

“他们的画风都不同，却有个共同点：色彩大胆、明亮，让人印

象深刻。”

“他们的画卖得掉吗？”

“还不能，不过将来一定可以的。”

“那他们现在靠什么过日子？”

“大都靠家里接济，修拉和塞尚就是；鲁索教孩子拉小提琴，高更向股票交易所的老同事周转，至于其他的人，我就不太清楚了。”

“你打算卖他们的画吗？”

“当然，我一直在劝两君子，在店里挪出一角来展示他们的作品。”

“看样子我是该去会会这些人。”

“你是该来看看他们的画。”

“我会的，等我这里忙完。”文森特话题一转，“提奥，老实跟我说，你到底有没有卖过我的画？”

“没有。”

“为什么？”

“我把你的画拿给鉴赏家看，他们说……”

“那些鉴赏家！”文森特暴跳了起来，“提奥！那些人懂什么呀！他们只会说些陈腔滥调，我早就受够了那些人了。”

“对不起，文森特，我不该这么做的，但我实在拿不准。每次我看你的作品时，总觉得你就要进入成熟的境界，只差那临门一脚，因

此我一直期待你的新作品，可是你老是停留在那种阶段。我不知道是我对你的要求太高了，还是因为失去了判断力，所以才会借助那些鉴赏家。”

“如果你觉得不好，那就别卖了。”

“文森特，讲讲道理好不好？我比任何人都更想卖你的画。”

“算了，别再说了，我想画画了。”

“好吧，你尽快画吧，不要再寄草稿来了，我要的是完成品。”

“我可不知道什么是草稿，什么是完成品，我只知道我一画下去，不画到好绝不停手。我的画没有什么半成品。”

“火气别那么大。”提奥安抚他，“记住，那可不全是你的画，而是‘我们’的画喔！”

提奥走后，文森特将所有的力气放在画德格鲁特家人上。

德格鲁特夫妇有三个女儿。二女儿荷鲁蒂娜是个十七岁少女，长得壮硕有力，不像城里的姑娘拥有纤细优雅的身材，文森特却在她的身上看出比凯依更真实的美感。文森特除了画他们在田里工作，也画他们在家里吃马铃薯的情景。

有一天，德格鲁特太太在他作画时，突然开口：“包威尔神父今天来过。”

文森特停下笔来，“德格鲁特太太，他说了什么？”

“他说要给我们钱，要我们不要再给你画了。”

德格鲁特先生紧接着说：“我们告诉他，你是我们的朋友，我们从不拒绝朋友的要求。”

“谢谢你们。”文森特心里充满了感激。

文森特早就发现包威尔神父不喜欢有个新教徒在他的教区里，文森特原本也打算离开，却因为忙着画这幅画而忘了搬家的事。

有一天包威尔神父气冲冲地跑来找他，劈头就问：“你怎么可以对她做出这种事？你是新教徒，她是天主教徒，你想害她一辈子抬不起头来吗？”

文森特一头雾水，“我不懂你的意思，神父。”

“你想赖账？”神父的言词更为严厉，“要不是看女孩可怜，我立刻把你赶出我的教区。你若识相，我准许你改信天主教，这几天就替你们证婚。”

“神父，你到底在说什么，我一点也不明白。”

“你还装蒜！荷鲁蒂娜怀了你的孩子，你难道不需要负责吗？”

“荷鲁蒂娜怀了孩子！”文森特先是一惊，接着发出一声嗤笑，“你凭什么赖在我头上？”

“没有绝对的证据，我是不会随便诬陷人的。”

“那是荷鲁蒂娜亲口对你说的？”

“她只说她怀孕，并没有说孩子的父亲是谁，但你们常在一起，她也常去你的画室，谁知道你们会干出什么事来？”

“笑话，照你这么说，任何跟她接触的男人都有可能是孩子的

父亲。”文森特觉得不该这样说他的朋友，感到一阵内疚。“神父，我可以跟你保证，我和她并没有发生超乎友谊的行为。”

“你以为我会相信吗？”

“信不信由你。”

神父原本还想再说下去，发现屋主史卡夫拉斯太太在外面偷听，这才罢休。

当天晚上，荷鲁蒂娜从田里回家时，发现文森特正坐在家门口等着她。

“你知道了？”她猜出他的来意，腼腆一笑。

“包威尔神父硬要我承认是孩子的爸爸。”

“不好意思，给你添麻烦了。”

“别这么说，你能告诉我孩子的父亲是谁吗？”

“你能为我保守秘密吗？”她脸上沾着污泥，皮肤显得更暗沉。

“我发誓绝不说。”

“是教堂里的司事，神父想包庇他，才会找你当替死鬼。”

“真可恶！”文森特低声咒骂了一句，“你家里的人知道吗？”

“我没告诉他们，不过他们知道不是你。”

“那你打算怎么办？”

“孩子生下来以后，把他养大，就这样。”

文森特随着荷鲁蒂娜进入屋里。家里的气氛和往常一样，德格鲁特夫妇并没有因为女儿怀孕而生气或着急，文森特为此放了心。

史卡夫拉斯太太很快把偷听来的消息散播出去，努能地区的村民对文森特的敌意更深了，有的骂他，有的用石头丢他，还吼着："滚吧！红头魔鬼。"

文森特意识到再待下去只会让自己更不愉快，决定抓紧时间完成那幅画。当德格鲁特一家人还在田里时，他就素描屋内陈设；他们回来后，再画他们在家里的情景。他总是画到他们上床睡觉为止。回到画室后，他又彻夜修改。

这天夜里他已经累得动弹不得，却无法休息。他坐在椅子上抽着烟，打量着自己的作品。他总觉得不对，却说不出哪里出了问题。一种强烈的挫败感侵袭着他，他茫然地看着、看着，突然，皮德森牧师的话打醒了他，"你和你画的人物距离太近了。"他如梦初醒，立刻跳了起来，重新装上画布，调好颜色，又画了起来。

那幅画的画面很暗，乌黑的亚麻布，熏黑的墙壁，光线来自一盏小灯。画中人物的肤色也很幽暗，他们被阳光晒成棕黄色，沾染着泥土芳香，就像一个个还黏着泥土的马铃薯。

阳光从窗口射进来时，文森特用疲惫的手在画上题上了"食薯人家"，将画寄给提奥，便离开了努能。

第四章 巴黎的蜕变

亲爱的提奥:

我昨天完成了一张准备参加竞赛的素描，我猜我会得最后一名，因为别人的作品都是一样的，我的却截然不同。我知道被他们评审为最好的一张将会是：比例正确，但无生命。我在这儿所看到的素描都是这样的。

西柏特老师老是找我麻烦，也许是想除掉我吧！原因是班上有些同学谈起了我的作品，他们对我的作品充满赞美，我却对他们说应该多描绘真实的生命，而不是比例完美的塑像。西柏特老师认为我在灌输“毒素”，警告我别在班上“乱说”。我想我迟早会跟他起冲突的，但我不在乎。

文森特于安特卫普

1886年1月

印象派的震撼

1886年2月初，文森特抵达了巴黎。

他原想直接去画廊找提奥，但一想到自己寒酸破旧的衣服，去了画廊会丢提奥的脸，于是用粉笔写了张便条，托人带去提奥的办公室，要提奥到卢浮宫跟他会面。

提奥被这突来的消息弄得不知所措，放下手边的工作匆匆赶了过去。

“你没收到我的信吗？我不是叫你6月再来吗？”提奥问。

“我没地方可以去。”

“我的公寓也没有地方让你画画呀。”

“巴黎这么大，总该有画室吧！”

“当然有，柯蒙画室离我住的地方不远，但我怕你不会喜欢。”

“再糟也不会比安特卫普艺术学院差吧！”

柯蒙画室很大，大约可以容纳二十几个人，还有模特儿、画架供学生们使用。文森特果然不喜欢那里的气氛，没画几天便觉得快喘不过气来。幸好认识了罗特列克。

罗特列克的父亲是个伯爵，在法国南部拥有一大片庄园。他小时候跌断腿，从此之后下半身就不再发育，变成一个畸形矮人。父亲觉得对不起他，对他总是有求必应。罗特列克想画画，父亲便请最有名的画家来教他。后来他来到巴黎，在歌女、舞女圈中打混，他

的画也都以她们为题。

“我敢打赌你一定没画过妓女。”罗特列克说。

“你输了，我不但画过，差点还跟她结婚呢！”文森特说。

“有意思。走，到我住的地方去，我让你看看我画的女人。”

罗特列克拄着拐杖，吃力地走着，每走一小段路就得停下来休息。他自我调侃地说着：“幸好我的腿不再长，要不然我爸铁定会把我抓去当伯爵。”

“幸好你不必当伯爵，那种时代已经过去了。”

罗特列克住的地方就像个杂货铺，放眼所及尽是酒瓶和烟盒，还有女人的舞鞋、假发、手套和女装，画框、画架、画布和颜料随处可见。

他用拐杖把一堆衣物拨开，“你坐这儿，”他倒了两杯酒，递一杯给文森特，自己喝起另一杯。

文森特徐徐喝着酒，观看着罗特列克的作品。

罗特列克笔下的舞女，都是欢场失意的风尘女子，却有一种感人的特质。那是生命的沧桑、年华的流逝。他客观地描绘出她们的外貌，没有道德或伦理的批判，真实地呈现出欢场女子的悲苦和空虚。

“你不觉得我的画很低俗吗？”

“要我来说，你的画美极了。若要说低俗，只能说道德的低俗，画怎么会低俗呢？如果你把她们美化，那会使她们变得更丑。”

“像你这样的人怎么不多一些呢？再喝一杯，晚一点我带你去蒙马特逛逛！”罗特列克故意开玩笑地问，“你弟弟没规定你几点回去吧！”

“你当我是个孩子！”文森特瞅了他一眼，随即哈哈笑了起来。

在巴黎，文森特几乎每天都会认识新的画家，他们的画风与荷兰画家极为不同，特别是印象派。文森特看过他们的作品后，震撼得不得了。

打从他懂得看画以来，所看到的都是黯淡、忧郁的画面，每一笔每一画都经过完整的处理，笔触是看不出来的，而印象派的画家却用鲜明的笔触、明亮的色彩来经营画面。他们的画里充满了阳光和空气，还有一种跳跃、鲜活的生命力。他们的画是活的，会让你忘了自己，忘了周遭的世界。文森特越看越觉得气馁。

“提奥，我追不上他们，我完了，我该怎么办？”

“文森特，别气馁，你已经创造了自己的风格，你要学的只是色彩。”

“我已经三十三岁了，没有机会再从头开始了。我以前画的东西都错了，错得离谱，我该怎么办，怎么办？”

“文森特，听我说，你以前做的都对。看看你的素描，你的笔法，你的线条，在马奈之前根本没有人这么画过。听着，你早就是一个印象派画家，现在你要做的，是让你的调色盘明亮起来。你不需要改变什么，也不需要从头学起，你了解了吗？”

“是这样吗？”

“是的。”提奥坚定地说着。

他比以往更严格要求自己。原本用得驾轻就熟的颜料，此时仿佛在跟他唱反调似的，怎么调都不对。他在画室里烦躁不已，回家后更是暴跳如雷，不过几天工夫，提奥那整洁幽雅的家已经被他弄得脏乱不堪，提奥规律的作息也都被他搅乱了。

破茧而出

“我改不了了，我完了。”他经常在半夜里大吼大叫的，还把已经睡着的提奥叫起来。

“文森特，拜托你，有什么话等明天再说，好不好？”

“我不能再等了，我没时间了。提奥，你已经接济我六年了，不能再这么下去，我现在必须做个决定。你说，我要不要放弃呢？”

“你这是干什么？想想看，你画农人难道是一个星期就画对了吗？”

“可是我还要等多久呢？我已经三十三岁了！提奥，坦白说，不要怕伤害我，你真的觉得我办得到吗？”

“文森特，相信我，你一定可以办得到的。”

一场风波平息后，另一场紧接而来。每当提奥才刚踏进家里，文森特便把当天的画摊在他面前，急切地询问他的意见。晚餐前问一遍，临睡前又来一遍，在睡梦中还会被叫醒。不到几个星期，提奥觉得快疯了，不由得写信向妹妹抱怨：

我的家庭生活简直让人无法忍受，再也没有人来看我了，因为每次都是以争吵来结束友人的拜访。还有，他不爱整洁，把房间搞得乱七八糟。我真希望他能搬离这儿，另外找住的地方，他有时候也会这么说，但只是说说而已。这件事我不愿意说出口，因为我若说出来，就会变成我亏待他。其实我也舍不得他走，但只求他能做到一件事：不要造成我的困扰。

真正跟他生活在一起后，我才发现他是个两面人。一面是旷世奇才，温柔又高尚，另一面却是极端的自我本位者。这两种性格在他身上轮流显现，所以一会儿听到他说这一番话，一会儿又听到他说另一番话，两者互不相容。他老是怪别人不了解他，其实，他才是自己的仇人。他不只是在折磨自己，也使别人难过。

妹妹劝提奥让文森特走，提奥却又有话说：

真奇怪，若是他从事别的行业，我早就接受你的劝告让他离去，可是他做的是艺术创作，我无法就让他这么走了。

我常问自己，这么不断地帮助他是否错了？老实说，我不是没想过离开他，让他自行生活。接到你的信后，我又把事情想了一

遍，觉得这件事必须坚持下去。他的确是个艺术家，他现在所画的画即使不够好，对他却有绝对的意义。我相信他的作品会越来越好，现在若迫使他放弃画画，日后将会是一件遗憾的事。不管他多么不切实际，我相信他会成功的。

几个星期后，文森特的情绪安定了下来。他不再费心苦思如何调色，却模仿起印象派的画风。他把罗特列克、修拉、马奈的油画模仿得惟妙惟肖，提奥看了不由得着急起来。

“听我说，你的名字叫文森特。不是罗特列克，也不是修拉或马奈。”

“我不懂你的意思。”

“你当然懂，而且比谁都清楚，在这个世界上只有一个罗特列克，也只有一个马奈，不管你模仿得多像，你永远也当不了罗特列克或马奈。”

“谁说我在模仿他们，我是在向他们学习。”

“不要自欺欺人了，文森特。抄袭别人是没有用的。”

“我只是暂时这么做，有一天我会回到自己的路子上的。”

“文森特，就像你自己说的，你不能再浪费时间了，你要等到哪一天呢？”

“说到重点了，你是怕我一直拖累你吗？那你得问问自己，这么多年来为什么连一张画也卖不掉？”

“别故意岔开话题好吗？我现在不想讨论卖画的事。”

“为什么不讨论，你心虚了吗？你根本不想卖我的画。我告诉你，我最近的画棒极了，你不卖，我可以找别人卖。”

“你最近的画糟透了，你卖不掉的。”

文森特像头疯狮子一样朝提奥扑了过去，提奥及时躲过。

提奥决心戳破文森特的幻想，“在巴黎有几千个画家想学马奈，其中一大半学得比你更像。”

文森特脸上的愤怒不见了，取而代之的是沮丧。

“提奥，你说得对，但我该怎么办呢？”他好彷徨，好痛苦。

“文森特，走回自己的路，你终会破茧而出的。”

文森特又回到调色的困境中。

正当他沮丧低沉时，蒙蒂塞利适时地解救了他。

蒙蒂塞利是个精力饱满、个性不羁的人，还有些疯癫。他喜欢以浓墨重彩的痛快涂抹来表达内心感受。他所画的花卉层层相叠，有的直接将颜料堆砌在画面上，使得枝叶有如雕塑一样立体鲜明。他还善于用强光与厚重的阴影做对比，创造出如幻觉一般的视觉效果。

文森特看到他的画时目瞪口呆，喃喃自语，“那不正是我想要营造的感觉吗？”

蒙蒂塞利曾在巴黎待过一段时期，几年前中风后便回到故乡马赛，文森特萌生了去南部寻找他的念头，可惜，就在文森特抵达巴黎三个月后，他便去世了。文森特望着他的肖像，就像凭吊故友一般，心里无限哀伤。蒙蒂塞利生前喜欢戴黄色草帽，文森特跟着戴了起来，并沿用起他的厚涂法。

6月初，提奥搬进勒皮克街的新居，文森特有了自己的画室。

这是文森特开始画画以来所拥有的最佳环境，他对自己的要求也比以往更为严厉，不满意的作品就毁掉。他经常是画了一天，也毁了一天。有时候则对着自己发脾气，还会迁怒到提奥。提奥房里的那把大锁对他根本发挥不了作用，他想找提奥时，哪怕是凌晨三点钟，也会闯进去。提奥被弄得憔悴不已，文森特也一天天消瘦。

冬天悄悄地过去了，当花儿再度绽放时，文森特的色彩也明亮了起来。

在巴黎待了一年总算有些成果，他的画布上已看不见别人的影子，不过他不满意，总觉得还有一种力量正要爆发出来。

看到文森特的进步，最开心的莫过于提奥了。他在写给母亲的信中洋溢着一股欢愉。

> 你会认不出文森特的，这一年他变了很多，你要是看到他一定会比我更惊讶。他的胃病和牙疼都不再犯了，医生说他复元得很快，好像刚完成一个大手术似的。他的作品也大有进步，画面上越来越明亮清晰。最艰苦的日子已经过去了，他终于找到自己的路了。

提奥很想在画廊里挂一两幅文森特的画，却处处受阻。既要顾及业绩，讨好老板，又要替印象派画家争取一席之地，搞得他精疲力尽。不过他不气馁，他相信再等一阵子印象派就会出头了。

筹组联合画廊

夏天来临时，文森特开始外出写生。他总会在太阳下山后，赶回市区加入画家的聚会。他们有时在饭店里，有时在咖啡厅，有时在某个人的画室。大家讨论自己最近的作品，或评论时事，或互相消遣、彼此打气。

这一天，修拉带来了几幅小作品，这些画里没有线条，也没有色块，而是用无数的、鲜明的色点调和成人物、建筑和一切的形体。文森特第一次看到这样的画，顿时傻住了。他从来没想过可以用这样的方式来画画。

“很多人都说绘画是一种主观的感受，我却不这么觉得。”修拉侃侃而谈，“我觉得绘画是一种科学，是可以分门别类的，好比说我把颜料放在一个个小瓶子里，要画时打开瓶子就行了，不必在调色盘上调来调去，那种方法已经过时了。”

“我不懂，”文森特说，“你如何从那一罐罐的瓶子里找出情感呢？”

“情感在我来看，也是科学的。比方说我想表现忧伤，只要强调冷色调，色点朝下降就行了。这就像一个数学公式，连小孩都画得出来。”

“我就画不出来。”鲁索说，“我在画画时既不忧伤，也不特别快乐。”

“不，我说的是忧伤的本质，你们读过柏拉图吗？”

“我没办法看那种书，看了就头疼。”罗特列克说。

“别光顾着说话，鲁索，来点音乐吧！”塞尚将酒一饮而下。

琴声悠扬飘起，塞尚转向罗特列克，“报上说你是本世纪最不道德的画家，你怎么说？”

“在我眼里，艺术哪有什么道德问题，只有好跟不好之分。他们说我笔下的妓女不道德，是因为她们的职业，不是她们的人格。我画的妓女、舞女各个坦然率真，谁敢说她们不道德，反倒是有些画家笔下的良家妇女，那副矫揉造作的模样，才让人倒胃口呢！”

“说得好。”修拉为罗特列克大声喝彩。

“罗特列克，你应该去当文化部长的。”提奥笑说。

“他们要敢聘我去，我一定去，到时候我会把马奈的《草地上的午餐》挂在文化部的入口，让大家好好欣赏。”

“大家一起举杯，为我们的新文化部长干一杯。”

在印象派的画家中，令文森特印象最深的是高更。他充满活力，不拘小节，浑身洋溢着一种原始气息，第一次见面时，文森特便有了

想画他的欲望。

“你不是在股票交易所工作吗？怎么会想当画家呢？”文森特问。

“这都得怪马奈。有一次我拿一幅画给马奈看，对他说：‘我是个业余的，请指教。“你猜他怎么说？”

“他说了什么？”

“他说，‘画只有好和不好，没有什么业余画家。’这句话就像灌入我脑里的迷药一样，从那时候开始我就再也没有清醒过了。为了画画，我辞去了工作，把太太和小孩送回岳母家去，一直到现在，积蓄花光了，画却还没卖出去半张，靠着朋友的接济过日子，你说惨不惨？”

“咱们是半斤八两，我要不是有个弟弟可以靠，早就饿死了。”

“你弟弟真不错，竟敢展出印象派的作品。他很带种，不过我担心他迟早会被扫地出门的。”高更话题一转，“如果不是认识了你，我一定会觉得你有神经病。”

“你说什么？”文森特的神经猛然紧绷了起来。

“我说，你的画里有一种不安的力量，好像要破框而出，会让人血压升高。这样感觉到底是好或是不好，我不知道，但我可以告诉你，没有任何人的画让我有这样的感觉，太震撼了。”

文森特激动地看着高更，他看出了提奥所没看出的特点。他颤抖地说：“你说得对，我的画里有一种震撼力，那是从我的生命中爆发出来的。”

越和高更相处，文森特越喜欢他。

高更率性、自信，我行我素，就像他的画一样，充满着原始气味，朴实自然，却又令人难以捉摸。在一次聚会中，高更当着提奥的面说：“那两个伪君子掐着你的脖子，你怎么不反抗呢？”

“谁说我被控制了，我不是展出了莫奈、西斯里他们的作品吗？”

“他们已经过时了，睁大眼睛看清楚，真正的艺术家在这儿。”高更把拇指头指向自己。

“别往自己脸上贴金了，”罗特列克呸了一声，“这里的画家个个比你强。”

“你敢说我的画不好！”高更往桌上用力一拍，一副要打人的样子。

“看在上帝的分上，高更，别恼火了。”提奥当起和事佬。

“我为什么不火？我们呕心沥血地画了一堆好画，结果呢？往床底下一塞，这就是我们要的吗？不是，我们要让大家看到我们的画，我们也要吃饭呀！”

“请大家再耐心等，我会尽力为大家争取的。”

“提奥，我不是怪你，是在怪这个社会。大家的眼睛都被狗屎蒙住了，看不清楚什么才是好东西，真是白痴。”高更说。

“我们与其在这里发牢骚，不如想想法子。”修拉说。

“有什么法子，最多只能把画送给老唐基，换些颜料。”

老唐基是一家画具店的老板。他很喜欢画，只要信任了某个画家，就会让他赊账，而且信任他到底。有些画家欠多了觉得不好意思，便拿画去抵账，他就把画挂在墙上。因此他的店乍看之下像个画廊。

“为什么我们不合力起来搞个画廊呢？”文森特说，“莫奈、毕沙罗他们已经替我们打了前锋，我们可以靠自己的力量来卖画呀！”

“文森特的主意好极了，就让提奥来当经理吧！”修拉说。

“我们哪来的钱？”高更又反对。

“提奥，开一家画廊得要多少资金？”罗特列克问。

“在郊区的话，至少得5000法郎，在市区恐怕得加倍。”

“如果我们凑到了钱，你肯当我们的经理吗？提奥。”修拉问。

“答应吧，提奥，”文森特鼓动着他，“在古伯画廊不会有发展的，两君子不会让你办印象派画展的。”

“我可以慢慢说服他们，而且我在那里那么多年了，还是不要动比较好。”

“谁说的，我觉得你还是动比较好。”文森特说，“提奥，你是全巴黎最有眼光的画商，你开的店一定会赚钱的。”

提奥以惊讶的眼光看着文森特，“你什么时候变得对买卖这么感兴趣？”

“我不是对买卖有兴趣，是对我们的画有信心。提奥，听我说，我们大家把画交给你，卖了以后，我们平分，谁也不占谁的便宜，你们说这样好不好？”

“好，我第一个赞成。”高更说，“我们可以办个义卖，凑些钱。罗特列克，你回去跟你老子要一些，怎么样？”

“我是可以回去要钱，不过既然是大家的店，我就不能抢太多风头，免得不小心变成大股东。一句话，大家出多少钱，我就出多少，一个子也不会少的。”

“提奥，现在你没话说了吧！”文森特的眼中闪烁着火光。

“让我想一想。”提奥还是皱着眉头。

高更恳求他，“我的好先生，请你答应吧！不管对谁，这次都是一个很重要的机会，求求你千万别拒绝。”

“提奥，你逃不掉的，答应吧！”文森特说。

“我们一起来敬我们的经理！”高更拿起杯子向提奥致敬，其他人也跟着做。

提奥在无法拒绝的情况下，勉为其难地答应了。

急流勇退

几个星期后，画家们凑足了5000法郎，在郊区选了一个店面，一切准备就绪，提奥也打算提出辞呈。然而，这时候文森特却萌生

退意。

“我真的很想揍你一拳，但我不得不说，你是对的。”提奥说。

“你不怪我？提奥。”

“我不怪你，但少了你，我也不想玩了。”

“提奥，你不能退出，他们不能没有你的。”

“文森特，我加入是因为你，你退出了，我再留着也就没意思了。幸好，店还没正式租下来，我也还没提出辞呈，一切都还来得及。”

“那些钱怎么办？”

“退还给大家。”提奥沉默了一会，“你呢？你打算怎么做？”

“巴黎太嘈杂了，我想离开，至于去哪儿，我还没决定。”

新画廊难产的事，大家都感到很失望，老唐基更是愁眉不展。

为了让老唐基开心起来，文森特替他画了两幅画像。老唐基如获至宝地将画像挂在店里，每当有人盯着画像看时，他都会得意地说：“那是我的好朋友，大画家文森特画的。”

巴黎的冬天又来了，塞尚决定告别巴黎，回南部老家艾克斯。

“你真的不打算回来了吗？”高更问。

“不了，我决定在艾克斯度过下半辈子。你呢？我听说你也打算离开。”

“我从来就没喜欢过巴黎，早就想走了。我想去南太平洋的小岛，不过我现在还没有钱可以去那么远，可能先去布列塔尼吧！”

“文森特，你呢？”塞尚问。

“我也想去个有阳光的地方，可是还没决定去哪。”

“到普罗旺斯来吧！只要你不来艾克斯就好，那是我的地盘，我不许另一个大画家来跟我抢。”

“艾克斯不许去，马赛已经有了蒙蒂塞利，我还能去哪儿呢？”

“去阿尔勒呀！”罗特列克说，“阿尔勒的太阳很明亮，还有美丽的女人。那里的女人是世上最漂亮的。”

“那你为什么不去？”高更问。

“要是离得开巴黎，我一定去。”

“好吧，那我去阿尔勒。”文森特说。

文森特临走前，提奥带他去听了几场瓦格纳的音乐会，兄弟俩都很喜欢。文森特满怀歉意地说：“我走了以后，家里就不会再乱七八糟，你可以回到过去清幽雅致的日子。”

“这儿是你的家，我不会改变家里的摆设，你想回来，就回来吧！”

“其实，我也不想走，”文森特感到喉咙哽咽了，“但我必须走。我得去寻找另一种变化。”

“我知道，”提奥点了点头，“你一定会成功，老孩子。”

兄弟俩紧抱在一起。他们虽然看不到对方的脸，却知道两人的眼中都湿润了。

第五章 迈向成熟

喔，提奥，你真应该来看看，这里的阳光，这里的色彩，这里不像在人间，像在天堂，我实在不敢相信人间有如此令人着迷的地方。我的好弟弟，来吧！你一定要亲眼看看，你才会知道我此刻的感受，你才会明白我笔下的色调是多么真实而丰富。

在阿尔勒，我的画思如潮水般不断地涌现出来。它们来得好快、好急，我几乎应接不暇。如果早在二十五岁就见识到这里的阳光就好了，可惜我是在三十五岁才来的。我像个落后的快跑选手，我得铆足劲追赶着那失去的十年。

文森特于阿尔勒

1888年4月

北风与太阳

阿尔勒是一座新旧交替的小镇，罗纳河从阿尔卑斯山奔腾而来，在阿尔勒分成大、小罗纳河注入地中海，形成著名的罗纳河平原。阿尔勒就在三角洲的顶点，几条人造沟渠把大片土地改造成丰产的麦田，橄榄和葡萄也远近闻名。

巴黎通往马赛的铁路开通后，带给阿尔勒巨大的发展，也将阿尔勒切割成新旧两半，新发展的地区工厂林立，随处可见高耸的烟囱。阿尔勒古城则保持原貌，古罗马竞技场、圣托罗菲密教堂是古城主要标志。狭窄的街道、小旅店、小酒馆仿佛遗留在时光隧道中。

文森特抵达时，阿尔勒还笼罩在冰冷的寒气中，积雪达十来厘米高。

他在凯洛旅店租了一间长期客房。房里很小，只有一张床、一把椅子和一个洗脸盆，老板后来又搬来一张桌子。这几样东西已经把房间塞满了，根本没有空间放画架，文森特并不在意。他是来追逐太阳的，房间只是睡觉用的。卸下行李后，他急忙出去感受这个小城。

在这早春的南方小城中，有一种难得的平静。他知道他来对了地方。

来阿尔勒看似是罗特列克的提议，却又像是蒙蒂塞利的指引。

他知道他将会跟蒙蒂塞利一样，画出令人震惊的作品。

逛了一圈后，走入一家咖啡馆里。

“来写生呀？”老板吉诺先生从文森特衣服上的颜料看出他是个画家。

“是啊。”文森特应了声，又补充说，“我是来寻找太阳的。”

“那你是来对地方了。”吉诺太太眉头皱得紧紧的，“这里的太阳就像个大火球，这里的居民都被它晒干了，也晒傻了。”

文森特看了一眼吉诺太太。她那愁苦的模样，像个饱受折磨的病人。

“我就是叫那太阳给晒疯的。不只是我，这里的人都疯了，没一个正常的，这是全世界最疯狂的地方。我敢打赌，不出一个星期，你就会打道回府。”

“别听她的，”吉诺先生说，“不过你还是得有心理准备，这里的阳光真的很烈，还有北风，一刮起来就像有人同时抽着几百条鞭子，抽得你皮开肉绽。”

隔天，文森特便领教了阿尔勒的地中海型西北风。

他在田野中漫步，试图开始工作，但在那种风中几乎不可能做什么。天空一片烈蓝，大而亮的太阳似乎要消融所有的积雪，但风儿严寒而干燥，使人头痛欲裂。

无法立刻作画，文森特并不着急。因为他已经看过不少美丽的东西。那长满冬青、松树和橄榄的山丘上有一所废弃的修道院，更令

他开心的是，杏树已经开始恣放了。在皑皑白雪的映衬下，白粉色的花朵，有一种冰冷透明的美。

三个星期后，大地回春，他开始体验到太阳的热度。

就像吉诺夫妇所说的，这里的太阳像个旋转、流动的火球，明亮得让人睁不开眼。阳光刺痛他的双眼，烧透他的红发，他从巴黎带来的寒气在那瞬间完全被蒸发掉了。他像夸父追日一样，走过市府广场，爬上山丘，又跑到田野中。

杏树和李树都已经开花了，泛成一大片微黄的白色，他从来没看过这样的景象。大阳在二次风起的空当间露脸，小白花显得更灿烂艳丽。他急忙架起画架，疯狂地画了起来。

他画得很快、很急。他不像莫奈只是抓住光线的变化，他要抓住的是色彩。他不停地画着，忘了时间，忘了身在何方，也忘了自己，脑子里唯一想到的是，画、画，不停地画。

回到旅店，他等不及想跟提奥分享心中的兴奋。他的手抖动着，他的字体歪扭着，恨不得一口气写出心中所有的感觉。

> 我每天四点钟起床，背着画架走一两个钟头，找到中意的点后，便一直画到天黑。当中除了停下来吃几口食物外，可以说完全没有停歇过。我像一台画画机器，一张接着一张地画着，我的手快得让脑子跟不上，我不知道自己画得好不好，但我不在乎，我只想画，只想把眼前的色彩一把抓下来。

对，我要抓住的是色彩。我不再满足于具体的形象，我要挥洒色彩。我希望当人们在看我的画时，仍会感受到我此刻所看到的颜色，觉得它们依然栩栩如生，依然艳丽动人。

提奥，我的眼前有太多可以画的东西。我每天至少画一大幅，有时画上两幅。我知道巴黎的评论家一定会说我画得太快，我没有闲功夫精雕细琢，我心里一直有个声音在催我：快、快、快。我像在烈日下不发一语、埋头苦干的农人，一心一意地收割。

对，我是个农人，我正在收割。提奥，你八年来的投资，已经到了可以收割的时候了。

天空有个火辣辣的大太阳，文森特觉得他的脑子里也有个大火球在燃烧着，烧得他头昏脑涨，简直分不清绿色的田野和蓝色的天空，但他不在意，他只想画。他孤独的身影在阳光下显得相当落寞，但他没时间品尝心中的孤寂，他只想画。

有一天他正在画一片盛开的李花时，一阵暴风来袭，他知道人们惧怕的北风终于来了。他像在钉木桩似的把画架钻入土中，却依然被吹得东倒西歪。狂风席卷着李树，将灿烂夺目的白花吹得像海涛一样。李树顽强地抵抗着，树干就像一支支倒插入土的三叉戟，枝叶力道十足，随时准备出击。文森特加入了这场北风与树的战斗中，一手扶着画架，一手拿着画笔，身体在风中摇来摆去，连站都站不稳。

“特斯特格要是看到这幅画，准会说我在画画时喝醉了呢！”他自言自语地笑了。

他画了一片赭红色的耕地，两棵玫瑰红的桃树，一片蓝白交织的天空，他觉得那是他所画过的风景画中最迷人的一幅。

回到家时收到妹妹的信，信上说莫夫已病逝，他一时喉头哽塞。往事历历在目，他叹了口气，从背包里取出那张风景画，在上面写了：纪念莫夫。

来阿尔勒之前，提奥警告过他，若再继续喝酒一定会毁了健康，他没有忘记弟弟的话，可是经过一天的劳累，他需要放松。

“今天去哪儿写生的呢？”在酒馆里，遇到了鲁兰。

“山后的那片果园。”

每当文森特述说作画的过程，鲁兰总是听得很陶醉，还露出向往的神采。文森特说完后，他总是会说：“你画的这些地方，我都去过不知多少回了，为什么我就看不出它的美呢？好像我的眼睛从来没有睁开过似的。”

鲁兰是镇上的邮差，经常在酒馆里高谈阔论。文森特看到他，总会想起老唐基。他跟老唐基确实有些相似处，他们都对革命怀有崇高的理想，又热心助人。

当他听文森特说起旅店老板每隔几天就涨价一次时，急着说：“他想榨干你口袋里的钱，不能再住下去了。”文森特也知道，但他整个心思都放在画画上，没余力去想这件事，鲁兰便主动替文森特找房子。

鲁兰在拉马丁广场替他找了一间四个房间的公寓，文森特并不需要那么大的空间，但四个房间的月租只是旅店的一半，这个价钱让他难以抗拒。公寓外墙是黄色的，中间还有个院子，地点又相当合宜，可惜屋子里一件家具也没有。

旅店老板知道文森特要搬走，又借故要了许多钱，还扣留他的行李。文森特争不过他，鲁兰便带文森特去找警察。经过一番调查后，文森特要回了12法郎，并用那仅有的钱先买了些简单的家具，将就住了进来。

搬入新居后，他决定把黄屋布置成一个稳重、简朴的南方画室，让有兴趣到阿尔勒来的画家有个栖身之处。他不像塞尚那么小气，不让其他的画家到他的领地去，相反的，他展臂欢迎同好前来。

南方画室

夏天的阳光像一股金色的波浪，在田野中流动着。

文森特放弃了传统的明暗对照法，大胆地将鲜艳的黄色、绿色、红色挥洒在画布上。此刻他已经不在乎画卖得掉卖不掉，只在乎如何把这亮丽的色彩表现出来。

阳光照得他晕头转向，却让他理解到一个事实：他是为了画画

而生的。他以前所经历的失败，是为了把他推到画画这条路上；以前所忍受的痛苦，也是为了画画储存能量。如今这股能量已经爆发出来了，而且相当惊人。

在阿尔勒，不止白天才看得到艳丽的色彩，夜晚更为丰富。为了画夜景，文森特改变作息，白天睡觉，晚上工作。他经常漫步在村中街巷，捕捉阿尔勒的夜景。

在“夜间露天咖啡馆”里，人们分坐在咖啡桌旁，闲散而惬意，一盏巨大的黄灯投射在咖啡厅的墙上、桌上，甚至街道上。宝蓝色的天空点缀着点点繁星，宛如盛开的灯花。街上三两成行的行人，徐徐漫走在这蓝色的星夜下。

文森特笔下的夜没有黑色，有的只是安静的蓝色、紫色和绿色，以及柔美的硫磺色和泛着淡绿的木黄色。

夜色虽美，“夜之酒店”却是一个令人沉沦的地方。

他试着以极不协调的红色和绿色来表现人性中的可怕情欲。红色的墙、绿色的弹子桌、黄色的地板，天花板上挂着三盏射出橙绿光芒的吊灯，让屋里气氛更显得欲振乏力。无钱投宿的或无处可去的浪子在桌上睡着了，一个穿着白衣、表情茫然的男子准备离去，却又不知何去何从。

有一天他收到高更的信。信上说他被困在法国北部布列塔尼的旅店里，旅店老板因为他付不出房租，便扣留他所有的画，让他感到苦恼万分。

高更的信激起了他隐藏在血液中的助人之心。他想：黄屋够大，如果高更来这里，两人都可以拥有自己的房间和画室，除了提奥给他的150法郎外，高更也可以每个月以一幅油画换取提奥的50法郎，这样应该就不会有问题了。

他即刻写信给高更，说服高更前来，同时又游说提奥帮助高更。

提奥同意以50法郎换高更的一幅画，可是无法提供高更旅费。高更也想来，可是他负债太多，短时间内无法离开布列塔尼。

在等待的日子中，文森特着手布置起黄屋。他省吃俭用，几乎把所有的钱都花在这上头。他要让高更当南方画室的主任，以向日葵来迎接他。

在巴黎时他就画过几幅向日葵，那些向日葵像燃烧的火焰，此刻他笔下的“12朵向日葵”则像在跳舞，千姿百态。有紧闭的苞蕾，有盛开的花盘，色彩缤纷，从深橙到浅黄，甚至浅绿色都有。他画了很多向日葵，有的坚实有力，有的大胆放肆，有的光彩绚丽，有的明媚饱满。每一张都透露着强韧的生命力。

他处于极度亢奋之中，在给高更的信上写着：

我替你布置了一间小黄屋，黄色的墙上，挂了一幅向日葵。黄色的花瓶里也插着向日葵，恰好衬托出绿色的花梗。花瓶放在一张小黄桌上，在阳光照耀下闪闪生辉。早上黄色的阳光会从黄色

的窗帘透射进来，你将沐浴在一片金色的阳光中，在芬芳的花香中醒来。

可是，高更迟迟未来，文森特开始焦躁起来。他又外出写生，火辣辣、黄澄澄的太阳在空中烤着他。他的脸被太阳晒得黑漆漆的，就像到非洲当过兵似的。他虽然不是士兵，画起画来却像在作战，画布在他笔下嘣嘣直响，好像在对画面展开攻击似的。此时的画不像初至阿尔勒时那么明亮，压抑和忧郁再度袭击着他。

他的眼前一片橙红，两排高大的柏树像在燃烧似的，红色的火焰直冲天际，天空还是那么的蓝，几个行人迎面而来，仿佛急着想从火堆中逃开似的。

他聚精会神地画着，耳朵里出现了低沉的声音。

他没有理会，依然全神贯注在画布上。

声音越来越嘈杂，好像有好几个人在说话。

他停下笔，听着，声音消失了。

他又继续作画，声音又出现了。

好像是妈妈的声音，也好像是妹妹的，当他想听个清楚时，声音又消失了。

他又回到画面上，吵人的声响再度响起，而且越来越低沉，最后变成了男人的声音。是提奥吗？不是，也不是高更的声音，是谁呢？

“是谁在跟我说话？”他叫了出来，四处并没有人。

他又继续画着。直到傍晚，画快要完成时，那声音又出现了。

他拔起画架，一路快跑，想把那扰人的声音抛开。

那声音却紧跟着他，他一路跑回黄屋，用被子将自己的头紧紧包住。

隔天，恼人的北风又呼呼刮起，他没有出门，一连睡了16个小时。醒来时仍觉得相当疲累，总觉得就快病倒了。

高更依然毫无消息，他已没钱雇用模特儿，一种无法抵抗的孤寂朝他席卷而来。鲁兰看到他闷闷不乐，主动来给他画；鲁兰的太太每星期也都会抽空带孩子来让他画。文森特真喜欢鲁兰那十一岁的儿子，他有一对明亮的蓝色大眼睛，被太阳烤红的面容，活像个小天使。

文森特为鲁兰画了六幅肖像。其中有一幅以制服的蓝黑色为主调，并以黑色线条来强调弯曲的上肢和衣服的皱褶。在黑色线条和白色背景衬托下，金纽扣闪闪发亮。长满胡子的脸微微高举着，嘴巴嚼动着，好像某句话正讲到一半，也像喝得微醺般。他的双手从袖筒中伸出，似乎还在摆动着，袖口露出徽章，充分显示出这个小官员能言善辩的威仪。营区里的士兵米勒耶、吉诺太太，也都成为他笔下的主角。

高更要来的消息终于传来了。这个消息让他振奋起来。

他又充满了活力，画面上的色彩也活泛了起来。他还将黄屋重

新漆上一层鲜黄，全心全意地等待着高更。

黄屋的争吵

1888年10月23日清晨，高更抵达了仍在沉睡中的阿尔勒。

文森特满怀喜悦地将高更安顿好后，便带着他在阿尔勒城里四处观看。高更显得很兴奋，连连说着，“阿尔勒的女人果然像你所说的那样美。”

文森特咧着嘴笑着，“阿尔勒不只女人美，每个地方都美，你再多住几天就会发现。我一点也没夸口。”

两人回到黄屋后，继续拉里拉杂地谈着。

高更对文森特为他布置的向日葵屋相当感动，但对黄屋的杂乱却不敢苟同。高更一向很在意整洁和秩序，看着凌乱不堪的画室，乱七八糟的颜料箱，简直无法忍受。

“文森特，我得把话讲在前头，这么脏乱的屋子，我是住不下去的，你若真要我留下来，恐怕得好好打扫一番。”

“那就再牺牲一天作画的时间，现在就动手！”

两人立即动手收拾房子。

高更还拟了一套生活守则，将两人的钱合起来，分成四份，分别放在四个箱子里。一份房租钱，一份烟草钱，一份娱乐钱，一份饭菜钱。箱子上放了纸笔，谁拿了多少都得登记。

黄屋一下子变得规律起来，文森特感觉到一股新气象。

他们的日子，在不断地工作中度过。

白天各自出去写生，晚上总是累得要命，一起到小酒馆喝一杯，便早早就寝。在风雨交加的日子里，文森特因为不必独处而感到宽慰。以往遇到这种坏天气，他总是无心作画，任凭忧郁啃噬着他的心。此刻，高更教他凭记忆作画，把想象中的画面移到画布上，他试画了一幅艾田老家的花园，感到相当有趣。

无法出去写生时，文森特也不再以画素描或写信来打发时间，高更教他做画框，教他做颜料，还教他如何清除画面上的油渍。他们去参观博物馆，一起游览阿尔勒邻近的乡镇。高更还替他画了两幅肖像。

高更来到阿尔勒后，文森特比以前更为快活。但不到一个月的时间，高更渐渐对黄屋，对阿尔勒失去了兴趣，还一直说想去太平洋的热带小岛，文森特开始感到忐忑不安。他处处礼让高更，希望把他长期留在阿尔勒，但两人的冲突终究还是发生了。

“你这汤怎么像你调的颜料一样，又脏又浊的，怎么喝呀？”

“我的颜色有什么不好？”

“你又不是瞎子，瞧瞧你那些穷凶极恶的黄色，简直乱七八糟。”

“胡说八道。”

“我说的是千真万确。文森特，站在好朋友的立场我才会这么跟你说，你要真想有什么作为，就得把蒙蒂塞利那套画法从脑袋里

扫掉，要不然你永远也画不出一幅好画的。”

“蒙蒂塞利是了不起的大画家，他对色彩的了解胜过任何人。”

“什么大画家，他呀，不过是个酒鬼罢了。”

文森特猛然跳了起来，“不许你污蔑他。”

高更也站了起来，“干吗呀，想杀人呀！”

文森特重新坐了下来，“对不起，我不该大吼，但我不许你污蔑蒙蒂塞利。”

高更轻蔑地一笑，“我不是污蔑他，我说的是实话。蒙蒂塞利称不上什么画家，他像个泥水工，只会用厚厚的颜料把颜色一层层地堆起来，那也叫画呀？”

文森特又跳了起来，“不准你这么说他，他是个大画家，是我的英雄，你听到了吗？不准污蔑他！”

高更不再说话，脸上却流露出一种不屑的神情。

文森特胸中有如热水翻滚似的，他想抑制心头的盛怒，却无法做到，于是转头走开，砰的一声将门关上。

隔天早上两人就像什么事也没发生过似的，一起喝咖啡，吃早餐，然后分别出去作画。可是回来后，争吵又开始了。

“文森特，这就是你今天画的？一塌糊涂。”

“你难道就只有这句话吗？”

“我要说的可多着呢！文森特，你怎么到现在还学不会？我不是告诉过你吗？在作画之前得先观察，回到画室后再冷静地画，而不是冲动盲目地画呀！”

“我才不要冷静，我来阿尔勒就是为了能热烈地画，热血沸腾地画。”

“又不是在作战，要那么多热血干吗？”

文森特就像即将爆发的火山，只要再一句话，便可以让他爆发。高更察觉到了这点，转头走入屋里，终止了一场冲突，但这样的情况却天天上演。

有一天文森特像奴隶般地工作，把一座果实累累的葡萄园搬上画布。绿、紫、黄色的枝桠，在串串蓝紫的果实中张扬着，饱满多汁的葡萄就像随时会爆裂开似的。文森特带着无比满足的心情回到黄屋，当他将画展现在高更面前时，高更依然是冷嘲热讽。

“这些葡萄怎么啦？要爆炸了呀？”

“是啊，它们就要爆裂开来。我就是要人们感觉到它们的力道，感觉到它们的生命力。你看，它们正在挣扎，正要冲向成熟的阶段。”

“你在说些什么鬼话？文森特，你怎么还不懂，一个画家要表达的是气氛，是形式的美，而不是讲大道理呀！”

“不，不是这样的，我们应该表现出生命的节奏。不管是画一个人，一颗葡萄，一个太阳还是一棵树，都要让人家感觉到它们的生命力。”

“我不想听你胡说八道，喝酒去吧！”高更边说边走了出去。

文森特正在情感的高潮上，没想到高更如此冷漠。他追了出去。

“别走，把话说清楚。”

“文森特，我累了一天，不想再跟你吵了，今晚去试试你说的那家妓院吧！”

文森特紧绷的情绪松了下来，“你可以找任何女人，就是不准碰娜莎，她是我的女人。”

“放心吧，就连女人，我们的品位也不同。”

进入妓院后，高更一转身便不见人影。

娜莎朝文森特跑了过来，“你怎么这么久没来？你是不是不喜欢我了？”

文森特将娜莎带到一间房内，解释着，“我最近很忙，手边的钱拿去布置黄屋了，没有钱不能来。”

“没有钱没关系，只要你把耳朵送给我就行了。”她玩弄着文森特的耳朵，“你的耳朵真可爱，好像缝上去的，像我那娃娃的耳朵一样。”

“你要拿得下来，就拿去吧！”文森特开怀笑着，之前的紧张一扫而空。

隔天文森特和高更又是早出晚归。在野外画了一天，两人都又累又紧绷，却无法入睡，也无法静下心来，便把精力发泄在对方身上。特别是当钱用完时，无法买酒、买烟，两人更是变本加厉地折磨对方。

高更总是把文森特刺激到盛怒的状态，让他如疯子般又叫又跳。文森特愈是暴跳如雷，高更愈显得得意。有一次他看着文森特又在盛怒中，哈哈大笑说："以前有几个人跟我一起住过，他们老爱跟我辩论，结果都疯了。"

"你在威胁我吗？"

"不，我是在警告你。"

"该提高警觉的反倒是你，我不是那么好欺负的。"

"我就喜欢你这个性，不过将来你要是疯了，可别怪我喔！"

文森特突然像只泄了气的气球倒在椅子里，呆呆地坐着。

"怎么啦，被我吓着了？"

文森特抬头看着高更，真挚地说："保罗，我们别再这么吵来吵去的好不好？我知道你画得比我好，你可以教我很多东西，我也很佩服你，但我不准你瞧不起人。我已经整整苦了九年了，我知道我就要成功了，难道你就不能仁慈一点，给我一些鼓励吗？"

"我这个人向来实话实说，好就是好，不好就是不好。对不起，就算你苦了19年，那也是你的事，当一个艺术家就要拿出实力来，不能像孩子似的哭哭啼啼地要人同情他。告诉你，那不是艺术家的风骨。你要真有本事，就表现在画布上给我看呀！少来这套哀兵政策了。"

文森特猛然站了起来，冲向他，高更眼见情况不妙急忙跑开。

文森特追着他从一个房间跑到另一个房间。黄屋顿时变成了战场。

直到深夜，两人耗尽了所有的气力，黄屋才安静下来。

割耳事件

文森特意识到自己就要爬上巅峰了，他很怕这一刻无法持续太久，因此比以前画得更快。他睡得愈来愈少，愈来愈亢奋。他的脑子里好像有一座烧得噼啪响的大熔炉，任何东西投进去都会转化成一幅幅光彩耀眼的油画来。

12月，提奥来信说他要结婚了，文森特和高更立即跑到酒馆庆贺。两人都喝了好几杯，突然间，文森特将酒杯砸向高更，幸好高更及时闪开，文森特却倒了下来。

隔天他向高更道歉，“昨晚我不知道怎么回事，对不起，我不知道我怎么会那么做，我是无意的。”

“我接受你的道歉，但昨天的一幕一定会再重演，我已经写信给你弟弟，告诉他我要离开了。”

“不行，你不能走。保罗，你不能离开黄屋。黄屋里的一切都是为你布置的，你不能走。”

在文森特的苦苦哀求下，高更答应暂时留下。

高更总觉得还会出事，时时处于备战状态下。这天夜里，高更突然惊醒过来，看到文森特正站在他床边，蓝色的眼睛炯炯有神，在黑暗中逼视着他。

“文森特，你这是在干什么？”他吼着。

文森特没吭声，默默回到自己的房间，倒头就睡。

第二天同样的情况又发生了，晚上两人还为了一碗汤大吵了起来。

“你趁我没注意，把颜料倒进汤里。”高更大吼着。

“我哪有？少冤枉人。”文森特笑着。

“你看这是什么？”高更将汤倒掉，碗底留有颜料的痕迹。

“我说我没有，信不信由你。”

高更气炸了，决定在圣诞节过后就回巴黎。

没想到圣诞节还未到，文森特又再次发狂。

他突然拿着剃刀指着高更，吓得高更逃出黄屋。高更离开后，文森特怅然若失，原想对着镜子画自画像。当他凝视着镜子中的自己，仿佛看到一个陌生人，这时耳里又出现许多声音，使他感到头疼万分。他想赶走那些声音，拿起剃刀把自己的耳朵一刀划下。他用布包住头，捡起耳朵，用几张图画纸包住，再裹上一层报纸，然后戴着帽子，快步走出黄屋，跑到妓院。

“我要见娜莎。”他对开门的女孩说。

“文森特，你来了。”娜莎闻声而出。

“我有样东西要给你。”

“你要给我礼物啊，文森特，你真好，那是什么东西呢？”

“一件纪念品，你要好好收藏。”

“是什么啊？”娜莎接过那包报纸。

“你打开就知道了。”

她打开报纸，惊恐尖叫。

文森特被送进医院里。

高更听到消息后，匆匆回黄屋拿行李，跳上开往巴黎的火车。

癫痫症

“真像布拉班特！家，那是我们心中永远的渴望，我们一生孤独和流浪，不就是为了寻找失落的家园吗？画布，沉默的画布是家，但那只是辛劳的结果。我们像农夫在麦田里工作一样，在画布上操劳。望穿画布，我们最终见到的是布拉班特，是故乡的亲人和泥土，是布拉班特的麦田、石楠和松林原野。那是多么多么久远以前的一切啊……”文森特梦呓连连。

“文森特，我来了，我在这儿。”提奥唤着他。

“我看到了老家的每一间房子，每一条小路，园子里的每一样植物，还有田野的景色。我也看到了墓地、教堂，我们家房子后面的菜园，还有，墓地中那棵高大的树和上面的鸟。”

“文森特，看着我，我是提奥。”

文森特看着提奥，认出他来。“保罗呢？”

“他走了。是他打电报给我的，告诉我你出了事。”

“这点事还要你跑来，真对不起，坐那么久的火车很累吧！”

“我不累。”提奥握着他的手，“跟我回巴黎去吧！”

“我在这里还没画完，而且你快结婚了，我不好再跟你住在一起。我什么时候可以回去黄屋？我想画画。”

“得再过一些日子，医生说你不能这么快工作。还有，医生说，你喝太多苦艾酒，有中毒现象。以后你恐怕不能再喝酒了。”

提奥在阿尔勒待了两天，就在他离开后的第二天，文森特又发作了。他狂叫、疯癫、歇斯底里，被关进了隔离室。雷依大夫断定他罹患了癫痫症，必须长期治疗。

几天后，文森特清醒过来，得知自己的病情，给提奥写了封信。

我正在雷依大夫的办公室给你写信，他要我告诉你，不要太担心我。他还说我只要好好静养，过一阵子便会复元的。

我将在医院多待几天，我的朋友鲁兰和他的太太，还有吉诺夫妇把房子照顾得有条不紊。鲁兰真正仁慈地待我，是一个永久可靠的朋友。我真需要这么一位朋友。

亲爱的弟弟，我很痛心你这趟阿尔勒之行。我原希望你可以不用来，因为我真的没什么危险，而你也不该觉得沮丧。我没让你看到阿尔勒的美丽，却让你心怀悲哀，何其罪过啊！我只求你不要担心，因为那会令我更忧伤。得知你一切顺利，才是治愈我

的良方。

鲁兰几乎天天去医院看文森特，鲁兰的太太和吉诺夫妇也常去看他。六个星期后，文森特在鲁兰的搀扶下出院了。

回到黄屋，文森特一再想起高更在的那段时光。他不知道究竟哪里出了错，感到很懊恼。他想给高更写信，脑子却不管用，什么话也写不出来。他写写停停，好几天后才勉强写出一封信。

他一直期待着高更的来信，高更却杳无音讯。

几天后，文森特又拿起画笔来。他画了两幅自画像。在第一幅画名为《包扎着耳朵和抽着烟斗》的自画像中，他有一种病后的苍白和安静，眼神中却透露出无比的恐惧和紧张。第二幅自画像中的他，充满着自信、坚毅，好像在向世人宣告，他已经完全恢复正常了。

文森特又开始在野外工作。

黄澄澄的火球在他的头顶上转着，他不在乎太阳的曝晒，也不顾北风的鞭打，此刻唯有工作才能让他安定下来。他原本还依照医生的指示，可是一画起画来就什么都忘了。他饮食不正常，而且喝起咖啡、苦艾酒，连烟也抽了起来。

这一天他从田野中回来，走进一家饭馆里。当侍者把汤端到他面前时，耳中的声音又响起。他焦躁地往桌面一扫，餐盘落在地上，粉碎了一地。

“你想毒死我呀！”他大吼着，“你们竟然在汤里下毒。”

“你别胡说八道，我们才不会做这种事呢！”

“有，你们有，我看到了，你们在汤里下毒。”他在餐馆里大吼大叫，“你们都看到了，他想谋杀我，他在汤里下毒。”

餐厅一时乱成一团，直到警察来时，混乱的局面才稳定下来。

这件事很快传遍各地，阿尔勒的饭馆都不肯让文森特进门，阿尔勒居民也开始躲避他。他看到闪躲的民众，心里更加猜疑，老觉得有人要害他。有时走在路上会突然开口大骂，有时候会用画架砸人，吓得行人落荒而逃。

阿尔勒的市民联名要求限制文森特的活动自由，黄屋被贴了封条。文森特又被送进医院里。

有一天雷依大夫在刮胡子时，文森特突然出现在他的休息室。

“大夫，你在做什么？”他问。

“你应该看得出来我正在刮胡子呀！”

“啊，是啊，让我替你刮吧！”

文森特一把夺走剃刀，表情突然变得很恐怖，雷依大夫及时大喝道：“出去！”

文森特猛然清醒过来，默默地溜出雷依大夫的休息室。

文森特发病时的疯狂作为，清醒后依然记得，这使得他非常害怕。他慌乱无神，急忙写信给提奥：

亲爱的弟弟，此刻我还是相信，不久后我会好转的。除了难

以控制的哀愁外，我好端端的。请相信我，我的体力正在迅速恢复中，而且我有能力工作。如果我必须永远留在精神病院里的话，我也有了心理准备，我想在那儿我依然能找到绘画的题材。我怕的是，我无法控制自己，会做出令别人和自己害怕的事来。一旦发病，痛苦难堪，许多癫痫病人咬自己的舌头、休克、大小便失禁，那种情况是非常糟糕的。我想，如果发病后就不再醒来，那就太好了。

文森特的信让提奥陷入痛苦的挣扎中。

他很想让文森特搬来跟他住，却又怕文森特来了病情会更严重。还有，他那捉摸不定的个性，也会引起许多不愉快。提奥太了解文森特了，他是不可能安安静静生活的，除非单独与大自然或像鲁兰那么单纯的家人在一起，否则不管他在何方，都会惹来麻烦，这对文森特的病情很不利。

不能照顾文森特，让提奥感到很自责；但他也知道，文森特不是一个平凡的人，不平凡的人需要不平凡的治疗。他只能忍心让文森特去走自己的路。

文森特也不想增加提奥的困扰。他体会到自己的病情已经到了相当严重的地步，就算不发病，也是心神恍惚，无法独立生活。他试着回归到宗教里，想借由祈祷与读经来安定自己，可惜成效不大。医院里的萨尔牧师建议他进入精神病院，他默然接受。

“离阿尔勒25英里远的圣雷米，有所圣保罗疗养院，环境清幽安静，文森特，你愿意去吗？”萨尔牧师问。

“在那里能画画吗？”

“得视你的情况而定，如果你一直都能保持正常，没有理由不让你画画。”

“那很好，我愿意去。”

萨尔牧师征得提奥的同意后，在那年5月，陪着文森特一同前往圣雷米。

第六章 扭曲的线条

亲爱的提奥:

我可怜的弟弟,我的神经衰弱的确来自过分纯粹的艺术家生活方式,同时也是一种致命的遗传,我应该承认我来自一个蒙受神经衰弱之苦的家族,所以我如果想活着,想继续工作的话,我应该更为理智与小心。

得知你去看了格鲁比医生,颇为伤心,但也感到放心。我一向不在乎很多事,但你的健康却让我不得不挂念。我宁可放弃绘画也不愿看到你为了多赚些钱而伤害身体,如果你想四处旅行或到某个宁静的地方休养,我可以回到古伯画廊工作,他们只需付给我和从前一样多的薪水就行了。你已经为我付出那么多,必要时我也可以牺牲自己。请多保重。

文森特于圣雷米

1889年5月

圣雷米修道院

“贝隆大夫，你能告诉我，为什么我会割下自己的耳朵吗？”

“这对癫痫症的病人来说并不是一件奇怪的事。我曾遇到过两个这样的病人，他们老是受到声音的干扰。那些杂音扰乱了他们的心智，而产生了割掉外耳的冲动，他们以为只要割掉外耳就能消除幻觉。我想你当时可能也是这样。”贝隆大夫为文森特解释。

“是这样啊……那我该接受什么样的治疗呢？”

“这种病没有什么特别的方法可以医治，但你可以每星期可以泡三次热水澡，每次浸泡两个钟头。泡热水澡能让你的神经稳定，就不会常发病了。”

“我懂了。”

“还有，你必须保持绝对的安静，最好常祈祷，上帝会帮助你的。”

“我很久没参加宗教活动，可以不参加吗？”

“既然你不想参加就算了，我会告诉修女的。”贝隆大夫在卷宗上写下文森特不参加宗教活动，“你千万不能冲动，不能工作，不能看书，不要跟人家辩论，这样才能保持心情宁静。”

“不能看书啊！”文森特有些沮丧。

“是的，看书会搅乱你的心情，会让你的情绪激动，所以不能看书。”

“那我不就什么事也不能做了吗？”

“怎么会没有呢？现在花园里的花开得正好，你可以在花园里散散步，轻微的运动对你是有好处的。”

“我知道了。谢谢你，贝隆大夫。”

圣雷米是普罗旺斯的一座历史古镇，镇外围绕着14世纪的围墙，田野优美秀丽，处处洋溢着浓厚的宗教气息。圣保罗疗养院原本是一所修道院，几世纪前，原本是教会用来照顾精神病患者的地方，后来变成一所疗养院。

疗养院里的病人随和有礼，却很少与人交谈。他们总是坐在自己的床上沉思，或发呆，一整天中只有一件事能引发他们的注意力，那就是定时定量地拿埃及豆、蔬菜、炖羊肉和扁豆芽这些食物来填饱肚子。阴雨时日，那儿就像某一个死气沉沉的村庄里的三等候车室。当有些病人戴着帽子、眼镜，拿着手杖，披上斗篷时，那种感觉就更像了。

有些病人会不断地哭喊或者胡言乱语，大家都会互相容忍，要是有人发病，彼此也会互相帮助。他们会说：“我们必须容忍和帮助别人，别人也才会容忍和帮助我们。”

文森特还发现，发病时听到奇怪声响的并不只是他一个人。

有个病人告诉他，他老是在回廊里听到声音与话语，眼中所看到的事物也都变了形，他因而不敢去回廊。还有个病人跟他说，他耳中的声音似乎无所不在，就连在房间里也听得到。文森特开始担心自己的病也会恶化到那种程度。

庭院寂静无声，看不到任何身影，空气好像凝固了似的，阴沉沉的，还有种腐朽的气息。文森特经常独自站在窗前，俯瞰着窗外的山谷，直到夜色低垂。他躺在床上却了无睡意，两眼呆呆地凝视着天花板。他很想念朋友，却丝毫没有去探望朋友的欲望。不仅是朋友，就连对日常生活的欲望也一天天消逝。他很怕再这么下去，自己会跟这里的病人一样变成一具空荡的躯体。

他躺了一会儿，还是睡不着，起身看了看四周。

病房里一共有八个病人，却静得连呼吸声也听不见。他弯身从床底的箱子里摸出一本书来。他没有忘记贝隆大夫的叮咛，但不看书让他感到不安，他打开书页，就着微弱的月光看了起来。

一个星期后，想画画的念头浮现出来，特别是当他在花园里散步时，看着满园子的鸢尾花，心里更是蠢蠢欲动。他跑去跟贝隆大夫商量。

“贝隆大夫，我觉得我的体力恢复了，脑子也很宁静，我可以画画吗？”

“洗热水澡果然对你有利，不过在外头画画还是有点危险，我看这样吧，我替你找个小房间，让你在里头画画，你说好不好？”

“好，能工作就好，我相信工作对我是有益的。”

“适度的工作对你有益，但不能太投入，你了解吗？”

“是的，大夫。”

小画室在疗养院的角落，室内糊着绿灰色的壁纸，两边的窗子也都挂着绿色的窗帘。窗口钉着黑色的铁条，却不妨碍欣赏那片一片倾斜的麦田。当他重新握起画笔时，工作的热忱立刻攫住了他。

他完成了两幅画，一幅是从他的卧室窗子看到的乡村景色。前景是暴风雨过后的残败麦田，后面是一堵墙。另一幅是几棵橄榄树，几间茅舍和山丘。

文森特安定的表现说服了贝隆大夫，他开始在花园里写生。疗养院里的病人都围在他身旁看着，依然不发一语，静得就像花园里的植物一样。文森特画了好几幅鸢尾花，以扭曲的线条表现鸢尾花在幽闭空间中的挣扎、伸展、怒放，最后冲破画面。

文森特再度感觉到生命的活力，相信再过一段时间就可以完全康复了。他写了一封热情洋溢的信给提奥，跟他分享自己的心情，并要求寄来颜料、画布和画笔。他也向贝隆大夫提出外出写生的要求，贝隆大夫显得有些犹豫。

“万一你在外面发作了，怎么办？”

“我觉得我好得很，比没生病前还要好，贝隆大夫，我完全好了，真的。”

“还是再观察一阵子吧！”

“大夫，我不能等了，让我去吧！你要是不放心可以派个人跟着我。”

贝隆接受了文森特的建议，由督察员普雷特陪他出去写生。

文森特欣喜若狂，普雷特边走边向文森特介绍附近的景色。

“不远的地方有些灰蓝色的小山，山脚下是碧绿的麦田和松林。”

“我早就注意到了，我喜欢那些橄榄树和丝柏。”文森特像个孩子似的跳跃着，“麦田、松林、石楠、灌木丛都让我想起我的故乡荷兰。喔，你看那片麦田就像黄金一样，还有那些丝柏。我觉得很奇怪，为什么没有人好好地画过丝柏？”

他画了一幅山景，画面上的橄榄树丛中有一间黝黑的茅舍，户外的蝉儿正在高唱，烫脚的草地染上金黄色调。他发现南方的美丽城镇正处于一度死寂而今骚动的状态。蝉儿在绿意中鸣唱。他满怀感动地画了三只蝉的素描。

画了一整天的画，一切正常。隔天他便独自出门了。

火焰般的丝柏

丝柏频频出现在他的作品中，他画里的丝柏摆脱了天生的刚直，好像团团巨大的黑色火舌，拔地而起，翻卷缭绕，直冲云霄。他的笔触不论是涂抹还是层层堆砌，都不再是纵横或斜向，而是像旋风的形状，仿佛火焰在燃烧。

亲爱的弟弟，从我寄给你的画里，你会发现我爱上了丝柏。这

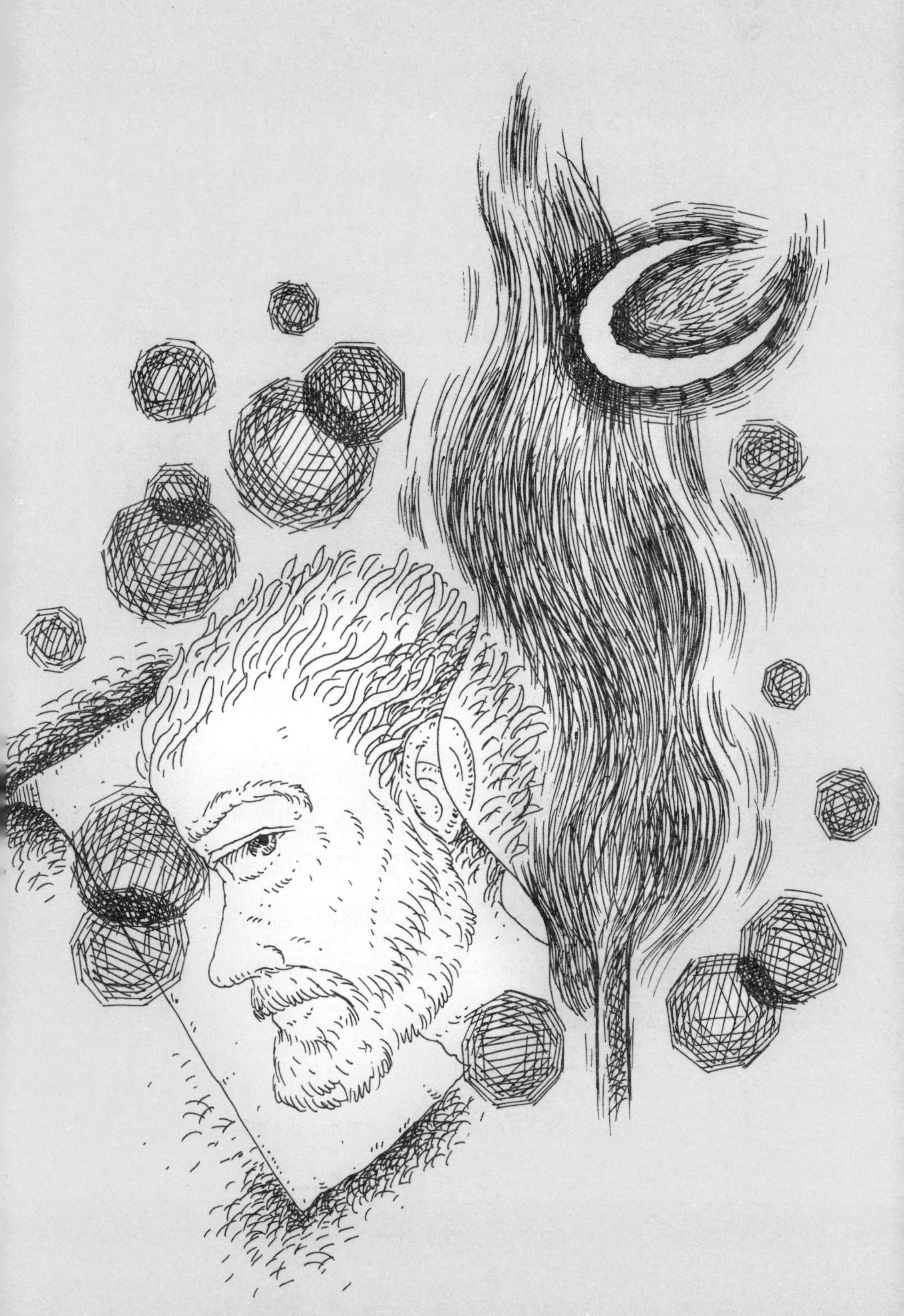

些柏树总是萦绕在我的脑海里，我很想把它们一一画出来。它们宛若黑色的音符，跳跃在阳光明媚的风景中，这些黑色音符既富神韵，却又难以演奏……我画了两幅柏树，我认为打了草图那幅比较好，画面上的柏树高大坚实，前景很低，布满荆棘和灌木丛。紫色山峦的后面，露出青里透红的天空，天边高悬着一弯新月。

我这几天都在附近写生，进度稍微慢了些。请你放心，我不会再把自己逼到晕眩的地步。

他在《星夜》这幅画中也是以丝柏为景。

夜空中出现许多星星，不管是大星星还是小星星都在旋转，云也以同方向旋转着，像一条巨龙般在空中奔腾着。新月也在转，形成一个黄色的巨大漩涡。暗绿色的丝柏则像一坨火焰，由大地深处向上旋冒，穿过山腰，冲向天际。细长的教堂尖塔不安地伸向天空，所有的一切都在回旋，都在转动，竞相在星空中射出艳丽的色彩。

文森特像往常一样，日出而去，日落才回。他感觉到自己已经完全恢复正常了，然而在那些喷薄而出、汹涌澎湃的画作外，一些令人担忧的作品也出现了。他画出如殉道者般的橄榄树，和一幅象征着死神的《收割者和麦田》。

在这幅画中，他的笔法近乎神经质地流动着，让人有一种不安的感受。天空下的圣雷米山，看起来像一堆流动的物质，而不像一座山丘。山丘旁的太阳，无力地转动着，仿佛想在下山前奋力一搏，放

射出最后的光彩。农人正在麦田里工作，似乎也想抢在太阳下山前完成所有的收割工作。紧张焦虑的人不只是这个收割者，文森特也一样。他在写给提奥的信上说：

> 我正在与画布搏斗着，在我这次生病的前几天，我开始画这幅《收割者和麦田》，这幅画整个是黄色调，颜料抹得很厚，主题却是简练、单纯，令人愉快的。收割者是个轮廓模糊的人物，为了赶在日落前完成任务，像魔鬼似的在麦田里与热浪搏斗着，我在他身上看到了死神的形象，他所要攫走的对象就是他正在收割的麦子。这死神的身上没有悲哀的味道，他在金黄色的阳光下干活，像个可亲的友人。

提奥接到文森特的作品时，惊喜得几乎说不出话来。圣雷米疗养院一景、鸢尾花、开花的桃树、丝柏、花儿怒放的果园、圣雷米的橄榄树，每一幅都浑然天成，成熟的笔触也令他惊讶不已。而那些痛苦的挣扎、扭腾、回旋、转折、奔泻、燃烧，则令他心痛。他从画中感受到哥哥所遭受的痛苦，每一笔，每一画都令他流泪。

他应文森特的要求寄了一笔钱，让他回阿尔勒去取回旧作。

回到阿尔勒，就好像回到故乡似的，文森特的心中充满着亲切感。阿尔勒的居民对他很和气，见到吉诺夫妇更让他喜悦不已；可是当他回到黄屋，一种不安的感觉急速从心头蹿起。他觉得自己就快

晕倒了，耳朵的怪声又出现了。他急切地离开阿尔勒，没有来得及回到疗养院，便倒了下来。

一连几个星期，他都待在房里，贝隆大夫禁止他去画室。他知道他不应该再提起画画的事，但不画画，又觉得活不下去，于是向贝隆大夫提出要求。

“贝隆大夫，我不能再这样整天坐着发呆，否则我真的会疯掉。”

“我了解，但工作过度也会使你发作，我必须禁止你过度兴奋。”

“不，你弄错了，贝隆大夫，使我发作的不是工作，而是阿尔勒之行。我看到黄屋浑身不自在，只要我不再去那儿，我就不会有事的。求求你，让我去画室吧！”

贝隆大夫不愿意承担文森特再发病的后果，“我写信给你弟弟，如果他同意，我就让你继续作画。”

提奥的信很快就来了。他同意让文森特继续作画，还告诉文森特一个好消息，他要当爸爸了。

圣雷米的夏天让文森特心旷神怡。北风被群山阻挡住，不像阿尔勒那么凄厉，阳光也不如阿尔勒那般耀眼。当他工作起来时，根本分不清楚自己究竟是在疗养院还是在旅馆里。住在疗养院已不再令他沮丧。巴黎的来信使他心情愉快。乔安娜怀孕了，一切都太美好了。

文森特心里打算着，在疗养院再住个几个月，等乔安娜生了，就去巴黎看他们；然后在圣雷米租个房子，过着正常的生活。

有一天刮着大风，文森特正在一处采石场全神贯注地描绘那些火焰般燃烧、盘旋而上的丝柏时，突然感到自己濒临发作边缘。他不想停下来，坚持把那幅画画完。等到完成画作，步行回圣保罗疗养院的途中，他倒了下来。

这一次发作持续了一个多星期，他陷入狂想中，企图自杀，幸好被即时制止。贝隆大夫将画室关了起来，不许他外出。他相当沮丧，靠着写信纾解心情。

> 我现在写起信来十分吃力，我的头脑如此紊乱。多日以来我一直处于严重的梦呓中，跟在阿尔勒发病那次一样，有过之而无不及。因为喉咙肿胀，我已经四天无法进食了。
>
> 我开始觉得此地的治疗是无用的，也害怕这里的病人；反正成堆的理由让我觉得在这里毫无运气可言。也许是因为我再度发病，才会夸大我的不幸，然而我真的有很深的恐惧感。
>
> 弟弟，你可能会说毛病出自于我的身体，而非环境或别人，我其实也知道。但情况不乐观。贝隆大夫对我很好，他的经验丰富，我不应该怀疑他的。我正处于极度低潮中，很想再全心投入工作，那可是最佳的治疗。

文森特想再投入工作中，可是当他被允许拿起画笔，则是两个月后的事了。

经过这次的发作，他已经放弃了痊愈的希望。在幽闭、痛苦、恐惧和绝望中，他想到了母亲。为了庆祝母亲生日，他画了一幅自画像。

他把胡子刮得干干净净，将头发往后梳，穿上朴素的蓝色罩衫，像一名青年学生。他让自己的目光柔和下来，在随画附上的信里写着："请原谅儿子无法经常给您去信，我想回去看您，在家乡待上一阵子，但我预计圣诞节前后可能会有一次发作，现在离开这里太危险了。"

他仔细研究自己的病历，发现自己大约每三个月发作一次。这个发现给了他新的希望。他想既然知道了发病的周期，就可以控制了。等到下次快要发病时，他就放下工作，在床上休息，这样就不会一发不可收拾了。他满怀着信心等待着下次的发作。

崭露头角

9月，文森特的两幅油画在巴黎的画廊展出，一幅是在阿尔勒画的《罗纳河上的星夜》，一幅是在圣雷米画的《鸢尾花》。参展的还有罗特列克、修拉和西涅克。

10月，艺术评论家伊萨克逊写了一篇报导：

19世纪正重新意识到那种充满意义、生机勃勃的力量，谁在用形象与色彩向我们传达这种力量呢？我知道一个人，一个孤独的先行者，在最深沉的暗夜中独自奋斗。文森特·梵高这个名字将代代流传，在未来，会有更多的人谈起这位荷兰英雄。

这篇报导就像透进了疗养院的阳光，对于处于深沉黑暗中的文森特来说，是多么地让他欣喜啊！文森特更加想念巴黎的朋友们，他告诉提奥想北上的想法，想在巴黎待一段时间，看看老朋友，还有在荷兰老家的母亲。生病以后，文森特对母亲的思念日渐浓烈，除了写信给提奥外，也经常写给母亲。

亲爱的母亲：

自从我生病以来，已经有一年了。近来，我常常为过去的事情感到自责，经常想起您，及您和父亲对我所说过的话。你们对我的期待比弟妹还多，我却一再让你们失望。在家里时，我已发现提奥总是牺牲自己在帮助家人，以至于连自己的兴趣都被忽略了。在巴黎的时候，我则体会到他是多么爱父亲啊！提奥对我的付出让我感到愧疚，我一直都很怕耽误他，如今提奥结婚了，又快当爸爸，我是如此由衷地替他感到高兴。

我多么期盼与您共度圣诞节，但恐怕我无法离开这里。我正

学着控制我的病，如果我能避过这一次，就能避过下一次，那么我就有可能在春天的时候回去看您了。我希望您有个愉快的节日。

儿 文森特

1889年的圣诞节前夕，文森特在没有任何预兆下再度发病。这次贝隆大夫坚决禁止文森特再作画，连画室也不让他进去。文森特原以为可以控制自己的病，没想到它却不像他的预期，说来就来，毁灭了文森特好不容易发现的希望。他的心灵荒寂得如冬天的野外，每天茫然度日，呆呆傻傻地坐在火炉前，像一截即将被烧毁的木头。

1月中，提奥传来了一个天大的好消息：

文森特的画卖出去了。

他在阿尔勒画的那幅《红葡萄园》卖了400法郎，买主是一位画家的妹妹。

同时，文森特有六幅作品在布鲁塞尔展出，塞尚、毕沙罗、西涅克和罗特列克也都有作品参展。在开幕前，一个叫格洛瓦的画家拒绝与文森特并列，跟主办者吵了一架。主办者没理会他，开幕那天他又闹了起来，引起罗特列克的不满，两人大吵了一架。格洛瓦气得要与罗特列克决斗。这个小插曲让文森特在展出期间备受注意。

展览期间，艺术评论家阿尔贝·奥里埃在全欧洲发行的《法兰西信使报》上发表了一篇文章：

> 文森特·梵高的作品特点是生命力旺盛，呈现出事物的本质。他勇于正视太阳的欲望，激情的素描和色彩超越了当代艺术家。他展现出一种阳刚的、勇敢的、有时野蛮却又细腻的个性。还有，他对于自然那种深厚又近于童稚的热爱，也是特色之一。
>
> 如此一位心灵开明、真诚的艺术家，能受到大众的赏识吗？我认为不会，对于当代所追求的精神而言，他太朴拙，又太细腻了，除了同道，要真正了解他并不容易。

这一次，文森特却没有兴奋之感。

他写了一封信给奥里埃，并送他一幅丝柏以表感谢。同时告诉提奥，他不喜欢看到别人评论他的作品，无论是赞赏或批评。他要求提奥转告他们，不要再写任何关于他的评论。

1月底，乔安娜产下一名男婴，提奥将他命名为文森特·威廉·梵高，以纪念哥哥。他知道后相当感动。

> 今日得知小男孩出生，乔安娜度过最危险的一刻，而你终于当了父亲。这个好消息带给我难以言喻的喜悦。太棒了，母亲将感到多么高兴啊！

你何必以我的名字为孩子命名呢？何不叫那孩子“西奥”来纪念我们的父亲呢？我已拾起画笔为你们的卧房画一幅画——一大束白色的杏花，衬以一片蓝天。

文森特原本只想画一幅画作为小婴儿的诞生礼物，可是一接触到画笔就无法停止。他心里同时打定主意，贝隆大夫要是不肯让他画的话，他就立刻搬出疗养院。

2月中，他又去了一趟阿尔勒，但没有人知道那一天他是否到了阿尔勒，反正他并没有到吉诺夫妇的店，没见到雷依大夫，也没回圣雷米。隔天有人在两个城镇间的一条路上发现了他，他神志不清地趴在地上。

这次发作后，他并没有完全恢复过来。他的情绪越来越低沉，疑神疑鬼，而且啰嗦唠叨。他似乎也失去了绘画能力，在沮丧绝望中，北方的呼唤越来越强。他想念故乡布拉班特秋天的山毛榉树丛，雪地里的田地，还有巴黎的友人。

亲爱的提奥，我今天试着把几封信重读一遍，但是我的脑子还没完全清醒过来，仍然无法理解某些内容。别为我担心，代我向大家问好，特别是高更。他给了我一封信，我不了解他写了什么，显然他是关心我的。为此，我非常非常地感谢他。再一次向乔安娜和小家伙致上最衷心的祝福。

这封信是一点一点写成的。现在很麻烦，我的脑子很糟糕，头并不疼，但完全麻木，或许我根本没生病，而是对自己完全失去了信心。如果我能回到老家待一阵子，也许会恢复过来。

提奥一直想把文森特接回来。经由罗特列克的介绍，他找到了一个精神科医生加谢大夫。加谢大夫也喜欢画画。当提奥跟他提起文森特时，他立刻表示愿意作为私人医生来照顾他。

提奥立刻给贝隆大夫写信，请他允许文森特出院，文森特却在隔天又发作了，倒在走往教堂的路上不省人事。等到他神志清醒过来时，已经是半个月后的事了。

贝隆大夫通知提奥来接他，文森特却坚持自己行动。他对提奥说，他并不是病人，也没有危险性，让他自己去吧，不然他真会以为自己一无用处。他相信只要他能自己前往巴黎，就有能力过正常的生活。

提奥虽然不放心，却也不坚持，文森特独自坐上了前往巴黎的火车。

他在圣雷米共待了308天，完成了150多幅油画。

700多封信

当提奥和乔安娜到车站接文森特时，乔安娜以为会见到一个病

人，没想到站在她面前的却是一个强健、肩膀宽大、气色良好的人。她大感意外，也充满欢喜。

“文森特，你看起来比提奥好得多。”她笑着说。

“幸好提奥有你的照顾，不然他会更糟。”文森特回答。

“是啊，多亏我娶了个好太太。”提奥也是满脸笑意，将文森特带回家中，“快去看看孩子吧！”

文森特和提奥静静地看着熟睡的婴儿，两人的眼中都泛着泪光。文森特的感受更是强烈。婴儿象征着生命的延续，他知道此生已没有机会延续自己的血脉了，不由得感伤了起来。提奥看出他的心思，安慰他说：“我延续的只是肉体，你却开阔了精神层面，你的画会让你的名字流传下去的。”

“我的名字若真的能流传下去，你的也会。”文森特抹去脸颊上的泪水，感动地说，“没有你的支持，我是不可能有今天的。”

“何必老提这些呢？我只是尽了兄弟的情义，和你是无法比的。”

“提奥，你听着，现在我要诚心诚意地再重述一遍我已说过多次的话。对我来说，你不只是我的兄弟，或是我的经纪人。你透过我的笔，实际上参与了某些作品的绘制过程。我如果能以那些画而不朽，你也不会被世人遗忘的。”

“谢谢你，文森特。”提奥的泪流了下来，在一旁的乔安娜眼眶也湿润了。

晚上，巴黎的朋友纷纷跑来探视文森特，第一个到的是罗特列克。他连着爬了六层楼梯，气喘不已，却一如往昔地嘻笑着。

“文森特啊！我还以为再也见不到你了呢！”他紧握着文森特的手，“别误会，我不是在诅咒你，我是怕我比你先走。”

“你看起来好好的，怎么了？”文森特打量着他。

“你看到的是外表，内心是看不到的。你走了以后，我的酒喝得越来越凶，医生警告我再不戒，很快就会去跟阎王报到了。”

“医生也这么跟我说过，我没听，所以我垮了。你要是不想跟我一样，就当个小乖乖，听医生的话吧！”

“谁要当小乖乖！我才不要呢！”

“那你真有可能比我早升天喔！”

“升不升天，这由不了你的。修拉不喝酒，还不是快死了。”

“他发生什么事了？”

“得了肺病。他啊，天天工作过度，把自己逼得像中邪似的，一天只睡两三个小时，医生说他活不过三十一岁的生日。”

文森特沉默了一会儿，叹了口气。人世实在太无常了。

鲁索走了进来，老唐基跟在后头；不一会儿奥里叶也来了。几个人热烈地谈论着，直到半夜才离去。

隔天，文森特检视着自己寄给提奥的一大摞画作，提奥已经依照绘画时间整齐排列好。一叠是矿区素描，一叠是艾田的农人，还有努能的织工；另一叠是巴黎的街景、静物；最大的一叠是在阿尔

勒的作品，最后则是在圣雷米的近作。

十年的光阴与心力都在这一叠叠的画作里，往事历历在目，文森特的眼眶又温热了起来。没有看到这些画，他几乎忘了自己是怎么走过来的。

抽屉里还有一大包用麻线裹着的大信封，他看到信封上的字迹，惊讶地张大了嘴，两行热泪再也控制不住地滚落下来。

“那都是你写给提奥的信，一共700多封。”乔安娜不知何时站在他身后。

他转向乔安娜，一句话也说不出来。

“这些年来你写给提奥的一行一句，他都保留了下来。他时常重读着你的信，看得泪流满面。特别是读到你在医院里所受的苦，他总是忍不住掩面叹息，喃喃自语，‘要是我能替他受这些罪就好了。’文森特，你这个弟弟是真心爱你的。”

“他为我受的苦太多了，”文森特抹去脸上的泪水，“乔安娜，请你一定要答应我，好好照顾提奥。”

“你放心，我会的。”乔安娜点着头，眼中泛着泪光。

“谢谢你，乔安娜。”文森特的泪水又流了下来，“感谢上天赐给提奥这么好的妻子，谢天谢地。”

提奥原本希望他多待几天，文森特担心巴黎的嘈杂会让他发作，而且他渴望着重新拿起画笔，迫不及待地想去奥维尔。

“奥维尔离巴黎只有30公里，我可以常回来看你的。”文森特说。

“说的也是，我们也可以去看你，以后我们要见面就容易多了。”

隔天，提奥要陪文森特去奥维尔，文森特却坚持自己去。提奥和乔安娜送他到车站。文森特对乔安娜说：“很渴望再见到你，还有我的小侄儿。”

“欢迎你随时来。”乔安娜将小婴儿抱向文森特，文森特逗弄着他。

火车进站了，提奥抱着文森特，“保重，老孩子。”

“你也要保重，到了后我会立刻写信的。”

加谢大夫

奥维尔位于瓦兹河边，是个宁静的小镇。火车入站后，文森特便已认出站在人群中的加谢大夫了。他在提奥家中看过他的画像。

加谢大夫热情地握着文森特的手：“你终于来了，真好，真好。我看到你把画架也带来了，颜料呢？带得够不够？有没有带些近作让我看一看呢？我真喜欢你的向日葵。在这里你恐怕找不到阿尔勒的鲜黄，不过这里的景色优美，是个画家的天堂，你只要住上一天你就会同意我的话的。”

“谢谢你，加谢大夫，我要是疯疯癫癫的，你可别见怪。”

“所有的艺术家都有些疯狂，那才是他们迷人的地方，有时候我还真希望自己也发疯呢！”

文森特和加谢大夫一边走一边聊着。

加谢大夫说得没错，奥维尔确实是个美丽的乡村，那里的麦田不像阿尔勒那么鲜黄，却有一种诱人的魅力。他恨不得立刻架起画架，把眼前的景色画下来。

加谢大夫将文森特安排在一家旅店里，以抱歉的口吻说：“照说我应该让你住到家里来的，可是我的地方不够大，只好让你住旅馆，不过你一定要来吃午饭，把你的画架带来，我要你替我画像，我们也可以好好聊聊。”

加谢大夫一走，文森特立刻拿起行李离开旅馆，走到对面的拉武旅馆，放好行李后，立即写信给提奥。

我见过加谢大夫了。

他给我的印象很怪异，不然他怎么会带我去住一天六法郎的旅馆，而不让我住两块半的旅馆呢？他的脸透露着哀伤，在我看来，他一定病得和我一样严重，幸好当医生的经验让他懂得怎么应付神经过敏的毛病。当他谈到一些画家的事时，忧伤的脸孔便露出笑容。我想我们会成为好朋友的。

再次见到加谢大夫，文森特越发觉得怪异。他住在一幢三层楼的洋房里，房间很大，却塞满了各种古董、家具，连个转身的空间也没有。后院里还养着鸡、鸭、孔雀和一大群的猫。难怪加谢大夫会说家里没足够的空间给文森特住。

用完餐后，加谢大夫兴致盎然地拿出他收藏的画给文森特看。一幅毕沙罗的画，两幅塞尚的花卉和一幅此地的风景画。看着那些画，文森特感觉到有些影像正在他眼前跳动着，心里很想立刻动笔。

加谢大夫似乎比他还急，展示完他的收藏后，急切地嚷着，“我们可以开始工作了，文森特，你现在就给我画像吧！”

“现在不行，得等我再多认识你一点，不然画出来的画没有性格。”

“你说得对，那就先不画像，但你总得画点什么吧！”

“我看到花园里有一个角落，我还蛮想画的。”

“那好，我们现在就去花园。”加谢大夫拿起画架，率先往花园走去。

文森特在作画时，加谢大夫滔滔不绝地出意见。有时则绕着他跑，做出各种奇怪的表情，让文森特觉得备受干扰。

“不行，这里不能上蓝色，这里不是阿尔勒啊，我们不需要那种鲜艳的色彩……对，对，就是这样。文森特，你真的把东西画活了……那朵花需要加一点黄，一点点就好……”

文森特忍不住了，停下笔来说：“大夫，你为什么把自己弄得这

么激动呢？这么亢奋会损害你的健康的。你是个医生，这个道理你应该懂的。”

加谢大夫当然懂，但看到别人画画时，他就是安静不下来。

这个“愁眉苦脸”的医生让文森特失去了安全感，回到旅馆后，立刻又给提奥写了第二封信。

我觉得我们不能太依赖加谢大夫，我认为他病得比我还重，或者至少同样的重。如果让他来治疗我，不就像瞎子领路吗？我怕我们都会掉进水沟里。

对于这样的医生，我实在不放心。事实上，我根本不需要医生，上次发作是受了其他病人的影响，还有那像监牢般的生活，它毁了我。我跟贝隆大夫提过很多次，他就是不听我的，任由我跟那些病人混在一起，所以我才会发病。现在我很担心，如果一直跟加谢大夫在一起，我一定会受到坏的影响。提奥，你真的觉得让我和加谢大夫在一起是最好的安排吗？

提奥没有答复他。他正为了自己的前途而忧虑着。

提奥经营的画廊生意并不好，两君子怪他把重心放在印象派的推广，导致业绩下滑，处处挑剔他。两君子之所以敢如此对待提奥，主要是因为梵高家族的股份卖得差不多了。提奥早就受不了两君子，试着找另外的工作，可是别处的薪水根本不够支付家庭与文森特的费用。他感到心烦极了。

文森特一如往常将整个心力投入到绘画中，除了每周两次前往加谢大夫家作画外，他每天五点起床，简单用餐后，便外出写生，然后一直工作到天黑。他非常喜欢奥维尔，如画的乡村景色，奇特的屋顶造型，亲切的人民。不到两个星期时间，他便已经完成十幅油画了。

在文森特的画布上，已经看不到南方鲜艳的色彩了。他的画看起来像在休息、在调整，也好像在寻找新的人生方向。他如孩子般画出一幅童话村景，红色的屋顶，绿色的田野，淡褐色的墙壁，蓝色的门窗，一条从中间穿过的小径，上面还有一辆红轮子马车，蓝色的天空下是一列冒着烟雾的火车。这幅画让他回想起他的童年和布拉班特的田野风光。

他终于画了一幅加谢大夫的肖像。这位忧郁的精神医生戴着一顶白帽子，穿着蓝外套，倚在一张红色的桌上，桌上还放着一本黄色的书和开着紫色花朵的植物。他眉头深锁，脸上充满着忧郁。

他也替加谢大夫的女儿画了一幅肖像。红色的衣服，暗紫色的钢琴，搭配着绿色的墙饰。此外他还画了些麦田，只呈现绿色麦茎的麦穗，长长的叶子像绿色的彩带，仿佛可以听见麦穗在微风中摇摆时所发出的软柔沙声，刚刚转黄的麦粒边缘散发着淡玫瑰色。

一切都显得美好而正常，文森特再度对未来充满了信心。

加谢大夫也一样，他去巴黎时，特地跑去告诉提奥，说文森特

的病已经完全好了。提奥和乔安娜听了都开心不已。

提奥的愁苦

6月初的周末，提奥带着家人到奥维尔看文森特。

他们在户外野餐后，然后一起散步。文森特和提奥相视而笑，感觉上好像回到了从前，回到了童年时代。

那天是那么平静，那么愉快，谁也没想到在那个快乐的周末后，不祥的预兆又出现了。

文森特失去了画画的动力，有时才画了一两个小时便觉得累了，甚至懒得将它画完。绘画的乐趣消失了，他不知道该如何排遣漫漫长日。他强迫自己背起画架出去寻找画画的主题，可是每当他在某一处停下脚步，嘴里就会喃喃说着："这样的景色我已经画过那么多次了，为什么要再画呢？"

文森特猜测自己的发病周期又快到了，生怕会做出反常的事，因此感到很担忧。他不想让提奥担心，并没有把心里的感觉告诉他。

6月底他接到提奥的来信，开头竟是一个令人担忧的消息。

> 我最亲爱的兄弟，我们刚刚经历了一个可怕的时期，我们亲爱的儿子病了，幸好大夫十分尽责，他告诉乔安娜："您不会因此而失去您的儿子。"

小文森特病了，文森特吓坏了。

儿时的恐惧回忆再度涌上，母亲曾告诉过他，他有个和他同名的哥哥，生下不久便夭折了。提奥的孩子也叫文森特，此刻又面临同样的险境，而文森特自己也饱受疾病的摧残。他开始觉得“文森特”不是一个好名字，很担心小文森特和他都会像他死去的哥哥一样，逃不过死神的魔掌。

提奥的那封信写得非常长，他似乎相信了加谢大夫的话，认为文森特已经完全复元了，因此把文森特当成了诉苦的对象，孩子生病了，画廊的营运也出了状况，两君子暗示着他应该辞职。还有，公寓太小，他正在考虑是否要搬家，但眼前的情况却不容许他做任何更动。他觉得快喘不过气来。

文森特整颗心都放在小文森特身上，尽管提奥说他已经渡过难关，文森特还是怕他会死掉。他急忙拿出纸笔想写信安慰提奥，可是写了几行，就写不下去了。

他所烦忧的不只是小文森特的病，还有多年来的隐忧。打从提奥结婚以后，他总是担心弟弟难以顾及到他，如今这个担忧已变成事实，他烦躁得不知该如何是好。当他想到提奥的房里堆放了他十辈子也卖不完的作品时，愁苦的情绪排山倒海而来，压得他喘不过气来。

他尽量压抑着自己的情绪，却无法赶走心中的愁思，当他发

现自己坐在火车上时，才意识到火车正开往巴黎。他没料到自己会有这样的举动，当然也就没告诉提奥。他心想，给提奥一个惊喜也好。

当提奥见到他时，竟没有任何兴奋之感。他脸色苍白，神情倦怠。

“你怎么会突然来了？”提奥的口气很冷淡。

“我收到了你的信，想来看看小文森特。你不要太担心。”

“我的担心并不全然是孩子的病，还有画廊的事。”提奥瘫在沙发上，满脸愁容。

“他们真的会辞退你吗？”

“怎么不会？你也知道，他们早就看不惯我了，梵高家的股份也卖光了，他们不需要再顾忌任何人，随时可以叫我走人。”

“提奥，你怎么不自己开一家呢？”

提奥露出一丝苦笑，“哪来的钱啊？”

“如果你没有把钱浪费在我身上就好了。”

“求求你，文森特，别再这么说，好不好！”提奥咆哮着。

文森特愣住了，提奥从来没对他吼过。

麦田群鸦

回到奥维尔后，文森特的心情更为混乱。

他试着作画，却什么也画不出来。他感到很疲惫，有一种说不出来的疲倦。他觉得自己好像一个被抽干的井，已经被抽得干干净净，再也捞不出一滴水了。这十年，绘画支撑着他，他也为绘画付出了生命的精华。如今他已被吸干了，无法再画了，活在世上还有什么意义呢？他漫无目标地在奥维尔镇上走着，不知不觉竟走到加谢大夫家。

“加谢大夫，我觉得我又快发作了，怎么办？”

“胡说，文森特，你已经完全好了，你已经是个健康的人。不是所有的癫痫症病人都像你这么幸运。”

“是真的，我真的觉得又要发作了。”

“文森特，干吗老谈这个话题呢？咱们来谈谈艺术吧！”

接下来几天，文森特寸步不出，喃喃自语地说着：“万一我又发作了怎么办？我会不会永远清醒不过来，还是会像个疯子似的度过我的下半生呢？我该怎么办？我不能再拖累提奥了，他已经够苦的，不能再拖累他，绝不能……”

他又跑到加谢大夫家。医生不在起居室里，文森特径自走到一个柜子前。他曾送给加谢大夫几幅画，就放在柜子里。他原想拿走那些画，却不经意地看到柜子里有一把手枪。

“文森特，是你啊！”加谢大夫闻声走了出来。

“你不是答应我要把这幅画裱上框的吗？”

“是啊，我打算下星期找个木工来做框。”

“你上次也这么说，”文森特吼着，“现在就得去裱，现在就去。”

“文森特，你在发什么疯啊！把画给我，你会撕破它的。”

“现在就去裱，听到了吗？”文森特带着威胁的目光逼向加谢大夫，一只手伸进外衣口袋里。

加谢大夫看出他口袋里藏着枪，大吼着：“文森特，你想干什么？”

文森特猛然惊醒过来，浑身颤抖着，转身跑了出去。

隔天他带着画架爬上小山坡，在墓地前的那片麦田里坐了下来。

7月的太阳明亮耀眼，突然间，一群乌鸦从天外飞来，盘旋在空中，遮避住太阳，明亮的天空顿时黯淡下来。群鸦如乌云般在文森特的头上振翅狂飞，使他陷入一阵紧张、窒息的情境中。

他架好画架，立刻画起群鸦纷飞的麦田。他把画布拉成细长形，使得麦田延伸得特别宽阔，黄澄澄的麦浪在三条路分岔的道路中翻滚着，完全颠覆了一般画家常用的宽广开放的透视法。线条走向由地平线朝画前方汇集，画面上完全没有视觉中心，蓝天和黄色的田野彼此朝反方向推挤，一大群乌鸦以逼人眉睫的气势划过天地的分界，飞向未知的前方。他不晓得自己画了多久，直到画布画满，在画布一角写上“麦田群鸦”后，伏身在麦田里，疲惫地睡着了。

接下来几天，他又把自己锁在旅馆里。负面的思想持续侵袭着他，耳里的声音也出现了，他慌得不知该如何是好。现在他还清醒理智，下一秒钟可能就会变成疯言疯语的狂人；现在他还能支配自己的行为，下一秒钟可能就会变成一个口流白沫的白痴。他感到恐惧极了。他真怕这一次发作后就再也醒不过来，或者被锁入疯人院里。提奥已经没有能力再照顾他了，他会不会被丢弃在路旁？他越想越害怕，越想越恐惧。

7月27日，他走回前几天所画的那片麦田。他躺在麦田里，往事像流水般在他的脑海中流过。他想念母亲，想念荷兰的老家，可是他回不去了。他知道再也没有机会了。与其这么痛苦的活着，不如死了吧！他站了起来，仰脸朝向太阳，用手枪抵住自己的腰部，扣动扳机，倒了下来。

几个小时后，他醒了过来。他原以为自己死了，没想到依然活着。

他蹒跚地走回旅馆，旅馆老板娘看到他衣服上沾满了血，急忙把加谢大夫找来。

“文森特，你怎么回事？”加谢大夫吓坏了。

“我又搞砸了。”文森特静静地说。

“你干嘛做这种傻事呢？喔，我的老朋友，你那么有才华，全世界都还在等你完成更多优美的作品呢！”

“说这些做什么？加谢大夫，请你不要把这件事告诉提奥，他够烦的了。”

“不行，我一定得告诉他。快告诉我他的地址。”

“既然你不肯帮我，我也不能告诉你。”

“你不肯说，明天我到画廊找他。”

医生来了，看了看文森特的伤口，摇着头说，“他太虚弱了，我无法开刀替他取出子弹，要不是他的身体够硬朗，早就死在麦田里了。”

医生替他包扎好伤口，随着加谢大夫一起离去。

文森特躺在床上，一整夜都睁大着眼睛，静静地看着天花板上的灯。

但愿现在就死去

“文森特，我在这儿。”提奥闻讯赶来。

“真好，我们终于又在一起了。”文森特轻声说着。

“别说话，医生说你要多休息。”

“不，我要说，现在不说以后就没机会了。”文森特的眼中充满了柔情，脸上的神情平和安详。“你还记得我们小时候常在麦田里游戏，你老拉着我的手吗？”文森特轻声说着。

“我记得，那是一段美丽的时光，我一辈子也忘不了。”

“我也是，在阿尔勒的医院里我就常想着童年的岁月，喔，我真是爱极了那片荒野。我甚至想着，在我老年的时候，要死在故乡的土地上，看来这个愿望实现不了了。”

“文森特，别说丧气话。”

“提奥，你为我辛苦了十年，啊，漫长的十年……提奥，我不会再成为你的负担了。我要你答应我，从今以后好好地照顾自己。你的身体并不好，要小心，为了孩子和乔安娜，你一定要珍重。别待在巴黎了，回荷兰老家去吧，那里的环境可以把孩子养得壮壮的，你的健康也会改善的……”

“我也正想这么做呢！”提奥克制着眼中的泪水，“还有，我打算自己开家小画廊，展出你全部的作品。”

“你是应该这么做，那是我的心血，也是你的一切。为了那些画，我付出太多了，你也一样，你的担子太重了。”

“老孩子，我付出得心甘情愿，那是我们共同的志业啊。”

“是啊，我已经尽了我的力了，我觉得好累……”他看着提奥，说出生命中的最后一句话，“但愿我现在就死去……”

提奥再也忍不住眼中的泪水，泪眼婆娑地看着沉睡中的文森特。几个小时后，当他发现文森特断了气，他趴在文森特身上，像个孩子似的大哭了起来。

隔天，文森特的朋友从巴黎和阿尔勒赶来，一同布置文森特的灵堂。加谢大夫带来一大束向日葵，口里一直喃喃说着：“这是文森特最喜欢的花，文森特最喜欢的花……”

提奥忍住悲伤，向母亲传递这个噩耗，他在信上写着：

他被葬在麦田间一个阳光普照的地点，那是他生前最钟爱的地方。

他是一个不能找到安慰的人，也说不出自己有多悲痛。唯一可以安慰的是，他已经找到了他渴望的安息。可是这悲痛还会延伸，只要活着，我就不能忘记。生活对他是个负担，但现在，每个人都赞美他的才华……喔，母亲，他是我最亲爱的哥哥啊！

提奥回到巴黎，始终无法挥去失去文森特的哀痛。他因过度哀伤导致精神崩溃，住进疗养院里。半年后，他便随着文森特而去了。

在奥维尔麦田间的小墓园里，他们兄弟俩相依相惜。

梵高重要记事

年份	月份	事件
1853 年	3 月 30 日	出生。
1857 年		弟弟提奥出生。
1869—1872 年		分别在古伯画廊的海牙、巴黎分店实习。
1873年		在伯父的推荐下前往古伯画廊的伦敦店任职。
1875 年		于英国兰斯盖特寄宿学校任职。
1877 年	5 月	前往阿姆斯特丹跟着叔叔学习,准备考神学院。
1878 年	7 月	前往比利时的布鲁塞尔福音牧师研习会修业三个月,未得到证书。
	12 月	以临时牧师的身份前往博里纳日矿区传教。
1879 年	7 月	遭教会革职。
1879—1881 年		逗留在矿区画矿工。
1881 年	4 月	回艾田牧师馆与父母同住。
	12 月	在海牙跟随表姐夫莫夫学画,与西恩同居。
1883 年	12 月	回努能新牧师馆。
1885 年	3 月	父亲去世。

	6月	完成《食薯人家》油画。
	11月	前往安特卫普美术学院学习，来年2月前往巴黎。
1886—1888年初		与弟弟提奥同住，结识了罗特列克、贝纳、毕沙罗和高更等印象派画家。
1888年	2月	赴法国南部阿尔勒。
	10月	高更来访。12月发生割耳事件。
1889年	4月	提奥结婚，5月住进圣雷米疗养院。
1890年	5月	前往巴黎南部的奥维尔，接受加谢大夫的治疗。
	7月27日	以手枪自杀。
	7月29日	去世，终年三十七岁，葬于奥维尔公墓。
1891年	1月25日	一直支持梵高的弟弟提奥因过于悲痛去世，葬于哥哥墓旁。

后记

记得第一次看到梵高的画时，心里一直怦怦跳了很久很久。我无可抑制地迷上他，为了看他的画，我去过阿姆斯特丹。我喜欢他，不止是他的画，还有他的奋斗历程，以及他与提奥间那浓厚的手足之情。

我读过许多和梵高相关的书籍、书信、报导；也看过很多他的画册，原以为写他的传记并不难。可是当我开始着手进行后，才发现要把这位画家写得精彩感人并不是一件容易的事。手边的资料太多了，但总觉得隔了一层。比方说，当他对提奥形容阿尔勒的景色时，我看着他在阿尔勒的作品，试图去想象那画面，却始终不尽如人意。又比方说，他提到圣雷米修道院时，提到那些在强风中挣扎的橄榄树时，我也无法真正感受到那里如鞭子抽打的强风和那种悲凄的气氛。

因此，我特地去了一趟普罗旺斯。

阿尔勒古城，就像梵高在信里向提奥形容的那样，街道狭窄，两臂一伸，指尖就可以碰到两旁的房屋墙壁。为了躲避可怕的北风，街道建得弯弯曲曲的，没有一处有超过十厘米以上的直路。在梵高逝世一百年纪念日，也就是1990年，阿尔勒市政府规划了一条梵高步道。步道从拉马丁广场开始，梵高刚到时所住的饭店、常去的咖啡厅、生病后所住的医院，都可以循着步道找到。可惜黄屋已在战争中摧毁。

此外，凡是梵高作过画的地方，不管是城里、麦田或橄榄园都竖起一面金属牌子，上面贴着复制画，加上几行解说，让游客对照梵高的画与实景间的差距。这种解说牌，在圣雷米也有。

圣雷米的圣保罗修道院是梵高在割耳事件后收留他的精神病院，梵高在那里住了一年，那也是他在普罗旺斯最后的驻留地。圣保罗修道院现在已变成梵高博物馆，在那儿我看到了梵高的生平影片介绍，还有他居住过的房间，他的小画室和当时用来治疗癫痫症的蒸汽疗所。

看着阿尔勒的一景一物，再对照他的画，有人说，时间仿佛在此地停止了。也有人说一点也不像，因为他画里的树不够挺直，太阳的颜色也不是黄的，他画得太夸张了。梵高不是一个摄影师，也不是写实派画家。他虽然也希望自己画得“像”一点，却毫不在意比例和尺寸，只在意能否表现出心里的感觉和地方的特色。因此有人说他的画一点儿也不写实，却表现了最真实的感觉。

在7月的普罗旺斯，我感受到了令梵高着迷的阳光，看到了令他兴奋的色彩，时间虽然过了一百多年，但很多东西并没有改变。我觉得我看到了梵高所看到的普罗旺斯。

回到伦敦后，我再度投入梵高传的写作时，心里感到相当的踏实。

在写作的过程中，我经历了失去父亲的伤痛，使得写作进度一再延宕。在这段期间里，我似乎更能感受梵高的孤独，也跟他更为接近。我仿佛可以感觉到他就在我面前，对着我叙述着他的故事。而那些故事，好像确确实实地在我身边发生过，令我感动不已。